2학년이 꼭 ✓ 알아야 한

도형

KB085839

한국수학학력평가
Korean Mathematics Ability Evaluation

대한민국 수학학력평가의 개념이 바뀝니다.

KMA 한국수학학력평가
Korean Mathematics Ability evaluation

현직 교수, 박사급 출제위원 !

인공지능(AI) 평가분석 !

1:1 전문 상담 !

자세한 내용은 **KMA** 한국수학학력평가 홈페이지에서 확인하세요.

KMA 한국수학학력평가 홈페이지 바로가기 www.kma-e.com

N KMA 한국수학학력평가

주 최 | 한국수학학력평가 연구원
후 원 | ㈜ 왕수학 연구소

주 관 | ㈜ 에듀왕
문 의 | ☎ 070-4861-4832

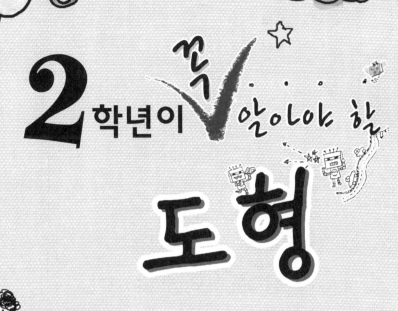

2학년이 꼭 ✔ 알아야 할 도형

특징

1 2학년부터 6학년까지 각 학년별 한 권씩(총 5권)으로 구성되어 있습니다.

2 도형에 대한 개념을 이해하고 다양한 문제를 통해 자신감을 얻도록 하였습니다.

3 자학자습용으로 뿐만 아니라 학원에서 특강용으로 활용할 수 있도록 하였습니다.

구성

 **개념 확인**   각 단원에서 꼭 알아야 할 기본적인 개념과 원리를 요약 정리하였습니다.

개념 익히기   도형의 기본 개념과 원리를 확인하고 다질 수 있도록 하였습니다.

동메달 따기   도형의 기본 원리를 적용하여 문제 해결을 함으로써, 자신감을 갖도록 하였습니다.

은메달 따기   동메달 따기에서 얻은 자신감을 바탕으로 좀 더 향상된 문제해결력을 지닐 수 있도록 하였습니다.

금메달 따기   다소 발전적인 문제로 구성되어, 도전의식을 가지고 문제를 해결해 보도록 하였습니다.

Contents

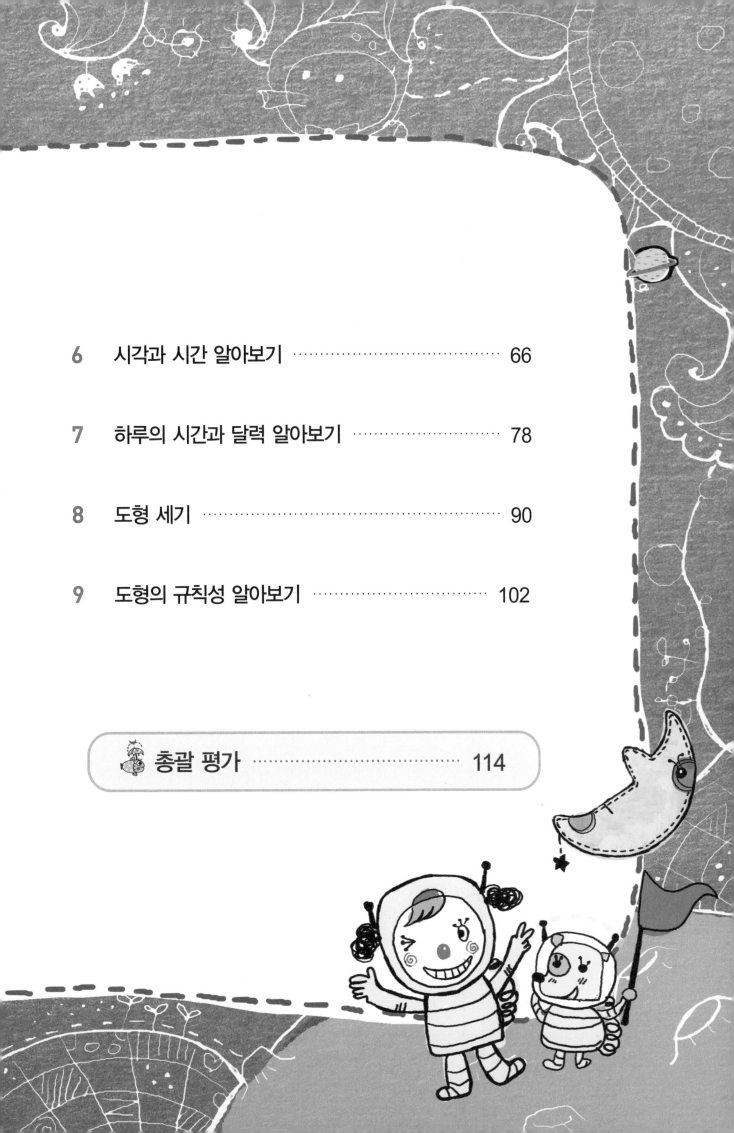

1. 원, 삼각형, 사각형 알아보기

1. 원 알아보기

둥근 깡통, 컵, 동전을 이용해서 동그란 모양의 본을 떠 그릴 수 있습니다. 오른쪽과 같이 본을 떠 그린 동그란 모양의 도형을 원이라고 합니다.

• 원의 특징

① 뾰족한 부분이 없습니다.

② 곧은 선이 없습니다.

③ 원의 모양은 모두 같고, 크기만 다릅니다.

④ 어느 쪽에서 보아도 똑같이 동그란 모양입니다.

2. 삼각형 알아보기

변   꼭짓점

• 3개의 곧은 선으로 둘러싸인 도형을 삼각형이라고 합니다.

• 도형에서 뾰족한 부분을 꼭짓점이라 하고, 곧은 선을 변이라고 합니다.

• 삼각형에는 3개의 꼭짓점과 3개의 변이 있습니다.

3. 사각형 알아보기

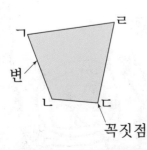
변
꼭짓점

• 4개의 곧은 선으로 둘러싸인 도형을 사각형이라고 합니다.

• 도형에서 뾰족한 부분을 꼭짓점이라 하고, 곧은 선을 변이라고 합니다.

• 사각형에는 4개의 꼭짓점과 4개의 변이 있습니다.

개념익히기

1 ☐ 안에 알맞은 말을 써넣으시오.

위와 같은 물건을 본 떠서 그린 동그란 모양의 도형을 ☐ 이라고 합니다.

2 원에 대한 설명입니다. 옳은 것을 모두 고르시오. (   )

① 뾰족한 부분이 있습니다.
② 동그란 모양의 도형입니다.
③ 3개의 곧은 선으로 둘러싸인 도형입니다.
④ 크기가 달라도 모양은 모두 같습니다.
⑤ 꼭짓점이 4개 있습니다.

3 오른쪽 도형을 보고 물음에 답하시오.

(1) 몇 개의 곧은 선으로 둘러싸여 있습니까?
(   )

(2) 도형의 이름은 무엇입니까?
(   )

4 ☐ 안에 알맞은 말을 써넣으시오.

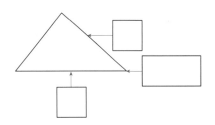

5 오른쪽 도형을 보고 물음에 답하시오.

(1) 몇 개의 곧은 선으로 둘러싸여 있습니까?
(   )

(2) 도형의 이름은 무엇입니까?
(   )

6 네 점을 이어 사각형을 그려 보시오.

(1)   •   •

  •   •

(2) •   •

  •   •

1 도형을 보고 원을 모두 찾아 기호를 쓰시오.

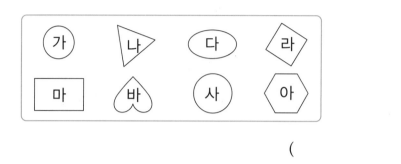

(   )

2 도형을 보고 물음에 답하시오.

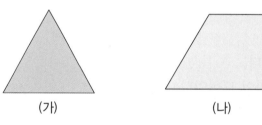

          (가)   (나)

(1) 도형 (가)를 무엇이라고 합니까?

(   )

(2) 도형 (나)를 무엇이라고 합니까?

(   )

3 ☐ 안에 알맞은 말을 써넣으시오.

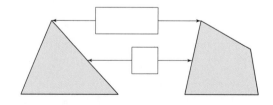

4 다음 도형에서 꼭짓점은 모두 몇 개입니까?

(   )

5 다음 도형에서 변은 모두 몇 개입니까?

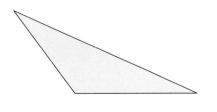

(   )

6 ☐ 안에 알맞은 말을 써넣으시오.

> 곧은 선 3개로 둘러싸인 도형을 ☐ 이라고 하고, 곧은 선 4개로 둘러싸인 도형을 ☐ 이라고 합니다.

7 곧은 선과 뾰족한 점이 <u>없는</u> 도형을 찾아 기호를 쓰시오.

(   )

8 도형을 보고 물음에 답하시오.

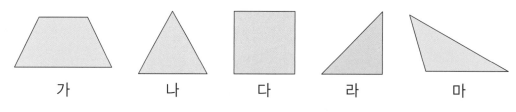

(1) 삼각형을 모두 찾아 기호를 쓰시오.

(   )

(2) 사각형을 모두 찾아 기호를 쓰시오.

(   )

9 사각형에서 변의 개수와 꼭짓점의 개수의 합은 몇 개입니까?

(   )

10 점 종이 위에 주어진 선을 한 변으로 하는 삼각형을 그려 보시오.

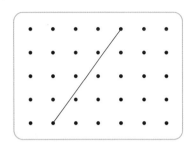

11 다음 도형에서 꼭짓점 ㄱ과 꼭짓점 ㄴ을 곧은 선으로 이으면 어떤 도형과 어떤 도형으로 나누어집니까?

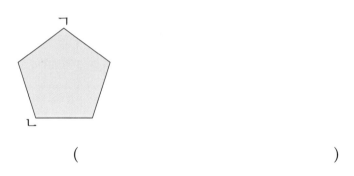

(   )

12 다음과 같은 삼각형 2개의 꼭짓점의 개수의 합은 몇 개입니까?

(   )

1 다음 도형은 사각형입니까? 아니라면 그 이유를 쓰시오.

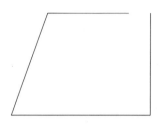

----

2 다음에서 설명하고 있는 도형은 무엇입니까?

> • 꼭짓점의 개수와 변의 개수가 같습니다.
> • 꼭짓점이 사각형의 꼭짓점 개수보다 1개 적습니다.
> • 3개의 곧은 선으로 둘러싸여 있습니다.

(   )

3 다음 도화지를 점선을 따라 잘랐을 때, 어떤 도형이 몇 개 더 많이 생깁니까?

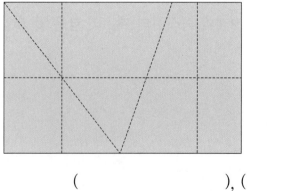

(   ), (   )

4 원에 대한 설명입니다. <u>잘못된</u> 것을 찾아 바르게 고쳐 쓰시오.

> ㉠ 동그란 모양입니다.
> ㉡ 변은 없습니다.
> ㉢ 동전을 본 떠 원을 그릴 수 있습니다.
> ㉣ 원의 모양과 크기는 모두 같습니다.

---

5 다음과 같이 4개의 점이 있습니다. 이 점들 중 세 점을 이어서 만들 수 있는 삼각형은 모두 몇 개입니까?

·   ·

·   ·

(   )

6 사각형 1개, 삼각형 3개로 이루어진 모양을 모두 찾아 기호를 쓰시오.

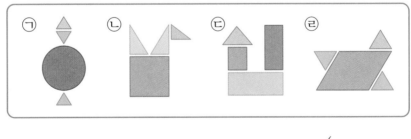

(   )

7 다음과 같은 삼각형과 사각형이 각각 3개씩 있습니다. 꼭짓점의 개수의 합은 몇 개 입니까?

(   )

8 삼각형과 사각형이 몇 개씩 있습니다. 변의 개수를 모두 세어 보니 10개였습니다. 삼각형과 사각형은 각각 몇 개씩인지 구하시오.

삼각형 (   )

사각형 (   )

9 다음 그림에 사각형은 파란색, 삼각형은 노란색, 원은 빨간색으로 칠하고, 그 개수 를 세어 ☐ 안에 알맞은 수를 써넣으시오.

사각형 : ☐ 개

삼각형 : ☐ 개

원 : ☐ 개

10 다음 사각형을 점선을 따라 잘랐을 때 생기는 도형들의 꼭짓점의 개수의 합은 몇 개입니까?

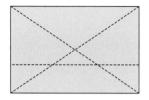

(   )

11 삼각형, 사각형, 원을 이용하여 만든 모양입니다. 가장 많이 사용한 도형과 가장 적게 사용한 도형의 개수의 차는 몇 개입니까?

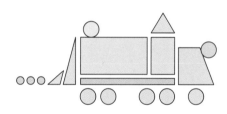

(   )

12 색종이를 오른쪽 그림과 같이 점선을 따라 자르면 사각형과 삼각형 중 어떤 도형이 몇 개 더 많이 생깁니까?

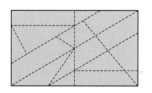

(   ), (   )

금메달 따기

생각의 샘

1 사각형 3개와 삼각형 몇 개가 있습니다. 사각형의 꼭짓점 개수의 합에서 삼각형의 꼭짓점 개수의 합을 빼어 보니 6개였습니다. 삼각형은 몇 개 있습니까?

(   )

> 사각형 3개의 꼭짓점 개수의 합을 먼저 알아봅니다.

2 다음과 같이 점 5개가 있습니다. 이 점들 중 4개의 점을 이어서 만들 수 있는 사각형은 모두 몇 개입니까?

·

·   ·

·   ·

(   )

> 각 점마다 기호를 붙인 뒤 사각형을 만들어 봅니다.

3 그림과 같이 종이를 4번 접었다 펼쳤습니다. 접힌 선을 따라 모두 자르면 사각형은 모두 몇 개 만들어집니까?

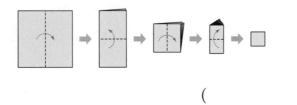

(   )

> 종이를 한 번 접을 때마다 사각형이 늘어나는 규칙을 알아봅니다.

4 오른쪽과 같은 도형 3개와 사각형이 몇 개 있습니다. 이 도형들의 변의 개수는 모두 23개입니다. 사각형은 몇 개입니까?

(   )

주어진 도형은 변이 5개인 도형입니다.

5 폴리아몬드는 변의 길이가 모두 같은 삼각형을 변끼리 이어 붙여 만든 도형으로 이어 붙인 삼각형의 수에 따라 이름이 달라집니다. 다이아몬드와 트리아몬드는 보기 와 같이 각각 1가지뿐입니다.

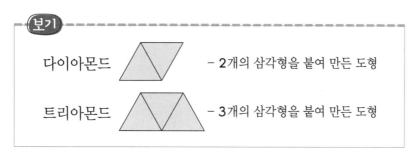

보기

다이아몬드 — 2개의 삼각형을 붙여 만든 도형

트리아몬드 — 3개의 삼각형을 붙여 만든 도형

이와 같은 방법으로 4개의 삼각형을 붙여 만든 도형을 테트리아몬드라고 할 때, 테트리아몬드는 모두 몇 가지를 만들 수 있습니까?
(단, 뒤집거나 돌렸을 때 같은 모양은 한 가지로 생각합니다.)

(   )

도형을 뒤집거나 돌렸을 때 같은 모양은 같은 것으로 봅니다.

6 점판 위에 3개의 점을 꼭짓점으로 하는 삼각형을 그리려고 합니다. 그릴 수 있는 서로 다른 삼각형은 모두 몇 가지입니까? (단, 뒤집거나 돌렸을 때 같은 모양은 같은 것으로 생각합니다.)

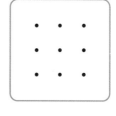

(   )

1. 칠교판을 사용하여 여러 가지 모양 만들기

• 칠교판의 조각은 **7**조각이고, 이 조각들을 사용하여 여러 가지 모양을 만들 수 있습니다.

예 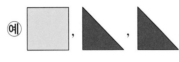 세 조각으로 삼각형, 사각형 만들기

〈삼각형〉

〈사각형〉

2. 오각형 알아보기

• 변이 **5**개인 도형을 오각형이라고 합니다.
• 오각형은 꼭짓점과 변이 가가 **5**개씩입니다.

3. 육각형 알아보기

• 변이 **6**개인 도형을 육각형이라고 합니다.
• 육각형은 꼭짓점과 변이 각각 **6**개씩입니다.

4. 삼각형, 사각형, 오각형, 육각형 비교하기

도형	변	꼭짓점
삼각형	3개	3개
사각형	4개	4개
오각형	5개	5개
육각형	6개	6개

개념 익히기

1 ☐ 안에 알맞은 말을 써넣으시오.

칠교판의 조각은 모두 ☐조각이고, 이 중 삼각형은 ☐조각, 사각형은 ☐조각입니다.

2 칠교판의 다음 세 조각으로 여러 가지 삼각형과 사각형을 만들어 보시오.

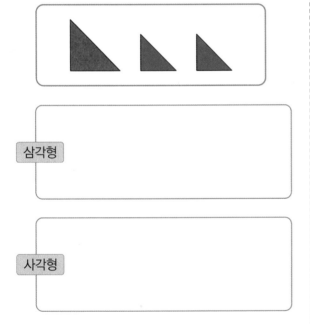

삼각형

사각형

3 빈칸에 알맞은 수를 써넣으시오.

	변의 수(개)	꼭짓점의 수(개)
오각형		
육각형		

4 오각형은 육각형보다 몇 개 더 많습니까?

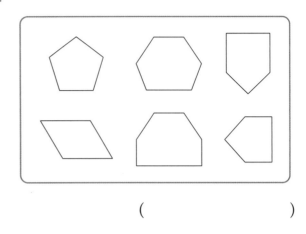

( )

5 변의 수가 가장 많은 것은 어느 것입니까?

( )

① 원　　② 삼각형　　③ 사각형
④ 오각형　　⑤ 육각형

6 점 종이 위에 오각형과 육각형을 각각 그려 보시오.

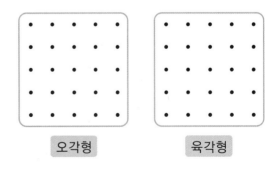

오각형　　　　　육각형

동메달 따기

1 칠교놀이는 **7**개로 나누어진 칠교판의 조각으로 여러 가지 모양을 만드는 놀이입니다. 칠교놀이에 사용되는 아래의 칠교판을 보고 ☐ 안에 알맞은 수를 써넣으시오.

칠교판에는 사각형 조각이 ☐ 개 있습니다.

2 칠교판의 세 조각을 사용하여 다음 도형을 만들려고 합니다. 알맞게 선을 그어 보시오.

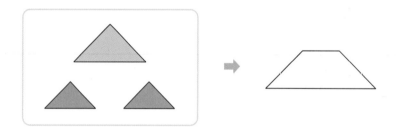

3 칠교판의 **7**개의 조각을 모두 사용하여 주어진 모양을 만들어 보시오.

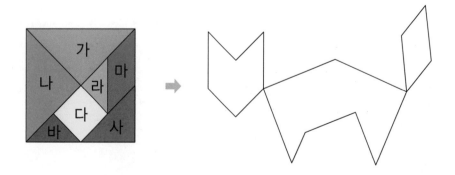

4 도형을 보고 오각형을 모두 찾아 기호를 쓰시오.

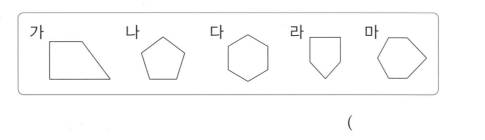

(   )

5 도형을 보고 육각형을 모두 찾아 기호를 쓰시오.

가   나   다   라   마

(   )

6 석기는 야구장에서 홈 플레이트를 보았습니다. 야구장의 홈 플레이트와 같은 도형의 이름을 쓰시오.

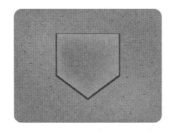

(   )

7 다음 중 꼭짓점의 수가 가장 많은 도형을 찾아 기호를 쓰시오.

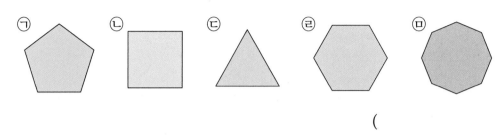

(   )

8 다음 중 곧은 선으로만 둘러싸인 도형이 <u>아닌</u> 것은 어느 것입니까? (   )

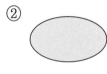

9 ☐ 안에 알맞은 수를 써넣으시오.

(육각형의 꼭짓점과 변의 수의 합)－(오각형의 꼭짓점과 변의 수의 합)＝☐

10 다음 중 변의 수가 가장 많은 도형과 가장 적은 도형의 변의 수의 차는 몇 개입니까?

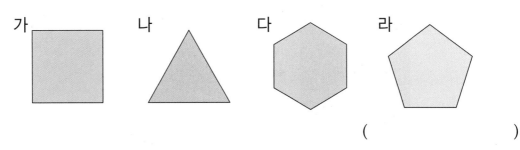

가　　　　나　　　　다　　　　라

(　　　　　　　　　)

11 다음 도형에서 찾을 수 있는 오각형은 모두 몇 개입니까?

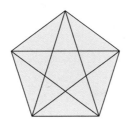

(　　　　　　　　　)

12 다음 도형을 점선을 따라 잘랐을 때 생기는 두 도형의 변의 수의 합은 얼마입니까?

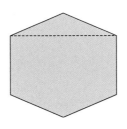

(　　　　　　　　　)

1 칠교판의 **7**개의 조각을 모두 사용하여 삼각형을 만들어 보시오.

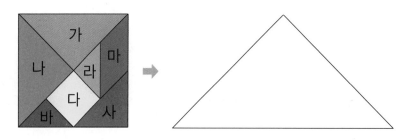

2 칠교판의 **7**개의 조각을 모두 사용하여 주어진 모양을 만들어 보시오.

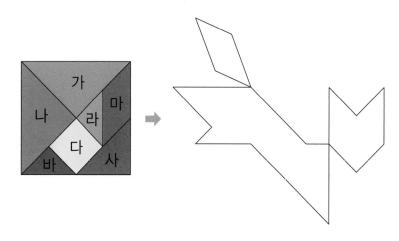

3 칠교판의 **7**개의 조각 중 다, 라, 사 세 조각을 사용하여 오각형을 만들어 보시오.

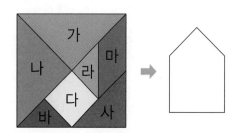

4 칠교판의 **7**개의 조각 중 다, 라, 마, 바 네 조각을 사용하여 육각형을 만들어 보시오.

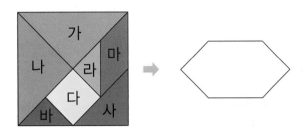

5 칠교판의 **7**개의 조각 중 다, 라, 마, 바 네 조각을 사용하여 다음 도형을 만들어 보시오.

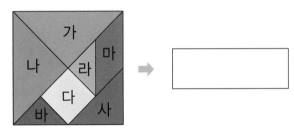

6 변의 길이가 같은 오각형 **6**개와 육각형 **1**개가 있습니다. 오각형 **6**개를 육각형의 각 변에 모두 이어 붙일 때, 붙인 모양의 변의 개수는 모두 몇 개입니까?

(   )

금메달 따기

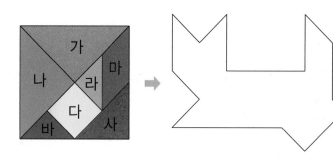

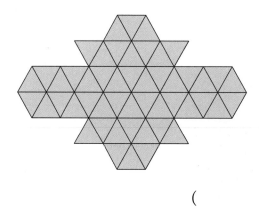

생각의 샘

7조각을 모두 사용
하여 주어진 모양
을 만들어 봅니다.
이때 확실한 모양
조각부터 차례로
놓아봅니다.

그림에서 찾을 수
있는 변의 길이가
같은 육각형은 작
은 삼각형 6개로
만든 육각형과 작
은 삼각형 24개로
만든 육각형이 있
습니다.

어떤 모양 조각을
사용하였는지 알아
봅니다.

1 칠교판의 **7**개의 조각을 모두 사용하여 주어진 모양을 만들어 보시오.

2 그림에서 찾을 수 있는 변의 길이가 같은 크고 작은 육각형은 모두 몇 개입니까?

(   )

3 수가 적힌 칠교판 조각 중 네 조각을 한 번씩만 사용하여 오른쪽 모양을 만들었습니다. 오른쪽 모양을 만드는 데 사용한 네 조각에 적힌 수의 합을 구하시오.

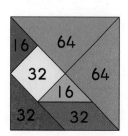

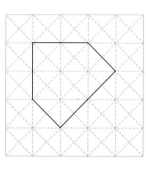

(   )

4 칠교판의 **7**개의 조각 중 나, 라, 마를 사용하여 오각형을 만들어 보시오.

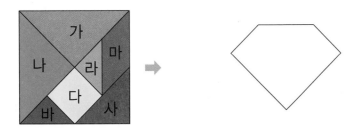

5 칠교판의 **7**개의 조각을 모두 사용하여 다음과 같은 로켓을 만들어 보시오.

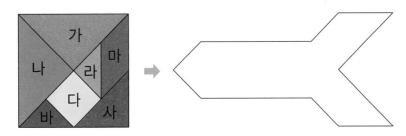

6 그림에서 찾을 수 있는 크고 작은 삼각형은 모두 몇 개입니까?

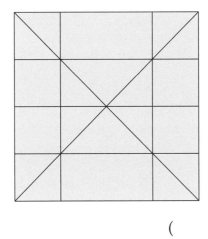

(   )

조각을 적게 사용 하여 만든 삼각형 부터 차례로 알아 봅니다.

개념 확인

1. 쌓은 모양을 보고, 똑같이 쌓아 보기

쌓기나무로 쌓은 전체 모양, 쌓기나무의 위치, 쌓기나무의 개수를 관찰하여 쌓은 모양과 똑같이 쌓아 봅니다.

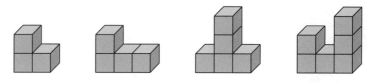

2. 쌓기나무 3개, 4개로 여러 가지 모양 만들기

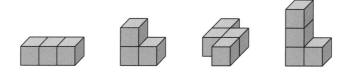

3. 쌓기나무 5개, 6개로 여러 가지 모양 만들기

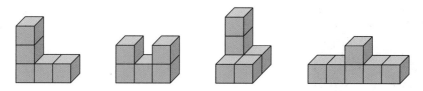

4. 쌓은 모양을 위, 앞, 옆에서 본 모양대로 색칠하기

쌓기나무와 눈의 높이를 같게 하여 쌓은 모양을 위, 앞, 옆에서 본 모양대로 색칠합니다.

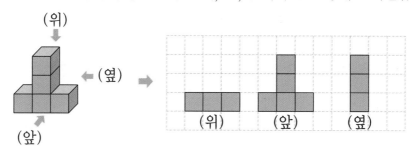

5. 쌓기나무 몇 개로 쌓았는지 알아보기

쌓기나무의 개수를 알아볼 때에는 1층에 놓인 개수, 2층에 놓인 개수, 3층에 놓인 개수, …로 나누어 센 후 합으로 알아봅니다.

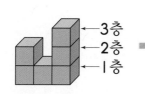

- 1층에 쌓기나무 3개가 있습니다.
- 2층에 쌓기나무 2개가 있습니다.
- 3층에 쌓기나무 1개가 있습니다.

모두 3+2+1=6(개)로 쌓았습니다.

개념익히기

1 □ 안에 알맞은 기호를 써넣으시오.

웅이　　　　　석기

석기가 웅이와 똑같이 쌓으려면 □에 쌓기나무를 1개 더 쌓으면 됩니다.

2 □ 안에 알맞은 말을 써넣으시오.

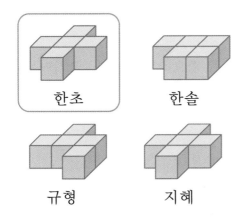

한초와 똑같이 쌓기나무를 쌓은 사람은 □ 입니다.

3 보기의 모양과 똑같이 쌓으려고 합니다. 어느 부분에 쌓기나무 1개를 더 쌓아야 하는지 기호를 쓰시오.

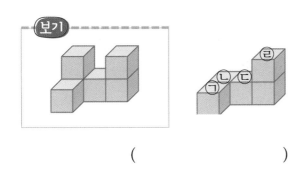

(　　　　　　　　)

4 쌓기나무로 쌓은 모양을 보고, 쌓은 모양이 같은 것끼리 선으로 이으시오.

5 주어진 모양과 똑같이 쌓으려고 합니다. 쌓기나무는 몇 개가 필요합니까?

(1) 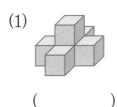　　(2)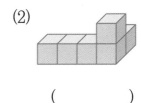

(　　　　)　　　(　　　　)

6 왼쪽 모양과 똑같이 쌓으려고 합니다. □ 안에 알맞은 기호나 수를 써넣으시오.

□에 쌓기나무를 □개, □에 쌓기나무를

□개 더 쌓아야 합니다.

1 쌓기나무를 사용하여 주어진 모양과 똑같은 모양으로 쌓으려고 합니다. 어느 곳에
쌓기나무 한 개를 더 놓아야 합니까? (   )

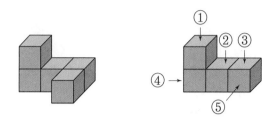

2 쌓기나무를 사용하여 주어진 모양과 똑같은 모양으로 쌓으려고 합니다. 쌓기나무를
더 놓아야 하는 곳을 모두 고르시오. (   )

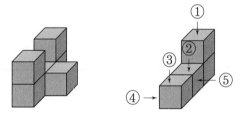

3 다음 중 쌓기나무 **3**개를 사용하여 만든 모양은 어느 것입니까? (   )

① 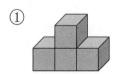   ②   ③   ④

4 다음 중 쌓기나무 **6**개를 사용하여 만든 모양이 <u>아닌</u> 것은 어느 것입니까? (   )

①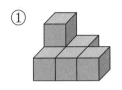

②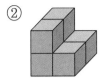

③

④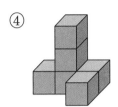

⑤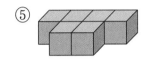

5 주어진 모양과 똑같이 쌓기나무를 쌓으려고 합니다. 더 필요한 쌓기나무는 몇 개입니까?

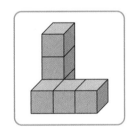

(   )

6 다음 모양을 옆에서 보면 쌓기나무가 몇 개 보입니까?

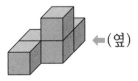 ←(옆)

(   )

다음 모양대로 쌓기나무를 쌓고 위, 앞, 옆에서 본 모양대로 색칠하시오. [7~9]

7

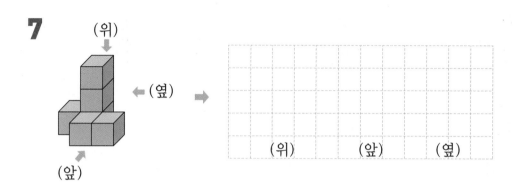

(위)　　　　(앞)　　　　(옆)

8

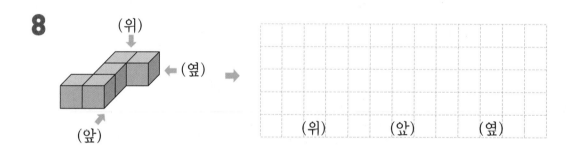

(위)　　　　(앞)　　　　(옆)

9

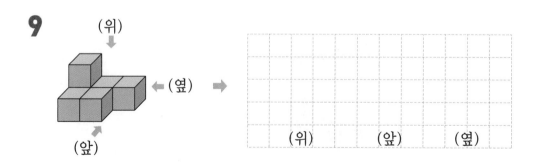

(위)　　　　(앞)　　　　(옆)

10 다음과 같이 쌓은 모양을 보고 □ 안에 알맞은 수를 써넣으시오.

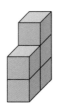

(1) 1층에 □ 개, 2층에 □ 개, 3층에 □ 개의 쌓기나무가 있습니다.

(2) 모두 □ 개의 쌓기나무로 쌓았습니다.

쌓은 모양을 보고 쌓기나무 몇 개로 쌓은 것인지 알아보시오. [11~12]

11

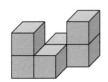

(   )

12

(   )

1 어느 가게에 귤 상자가 오른쪽과 같이 쌓여 있습니다. 상자 한 개에 귤이 100개씩 들어 있다면 귤은 모두 몇 개인지 구하시오.

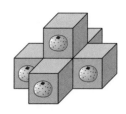

( )

2 쌓기나무를 오른쪽과 같이 쌓았습니다. 위에서 보이는 면의 수와 앞에서 보이는 면의 수의 차를 구하시오.

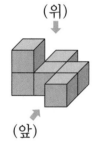

( )

3 다음은 예슬이와 한솔이가 자신이 가지고 있는 쌓기나무를 모두 사용하여 쌓은 모양입니다. 누구의 쌓기나무가 몇 개 더 많은지 구하시오.

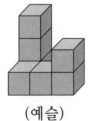

(예슬)

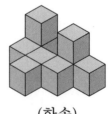

(한솔)

( ), ( )

4 18개의 쌓기나무로 오른쪽과 같은 모양을 쌓으려고 합니다. 쌓고 남은 쌓기나무는 몇 개인지 구하시오.

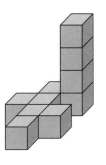

(   )

5 8개의 쌓기나무를 오른쪽과 같이 쌓았습니다. 앞에서 보이는 쌓기나무의 개수는 옆에서 보이는 쌓기나무의 개수보다 몇 개 더 많은지 구하시오.

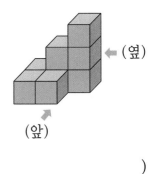

(   )

6 다음은 쌓기나무로 만든 모양을 여러 방향에서 본 것입니다. 사용한 쌓기나무는 모두 몇 개인지 구하시오.

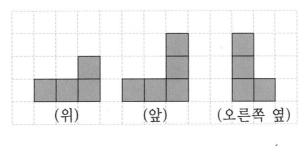

(   )

7 규칙에 따라 쌓기나무를 쌓을 때, 여덟 번째에는 어떤 모양이 놓여지게 되는지 그려 보시오.

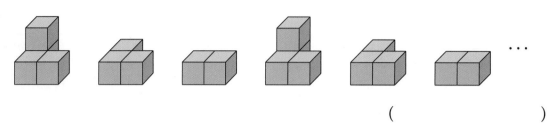

(   )

8 다음과 같은 규칙으로 쌓기나무를 쌓으면 네 번째 모양에서 사용되는 쌓기나무는 몇 개인지 구하시오.

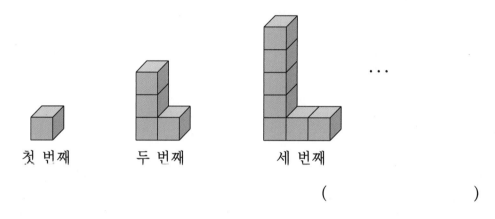

첫 번째   두 번째   세 번째

(   )

9 규칙에 따라 쌓기나무를 쌓으려고 합니다. 여섯 번째에는 몇 개의 쌓기나무가 사용되는지 구하시오.

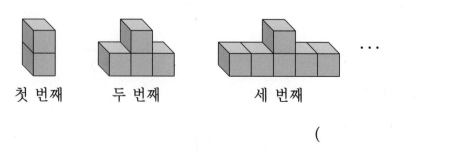

첫 번째   두 번째   세 번째

(   )

10 다음 중 쌓기나무의 개수가 <u>다른</u> 하나는 어느 것입니까? (   )

①

②

③

④

⑤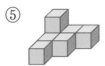

11 다음에서 지혜와 용희가 쌓은 쌓기나무의 개수의 합은 가영이가 쌓은 쌓기나무의 개수보다 몇 개 더 많습니까?

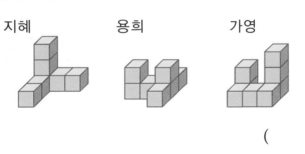

지혜   용희   가영

(   )

12 규칙에 따라 쌓기나무를 쌓을 때, 여덟 번째에는 몇 개의 쌓기나무가 사용되겠습니까?

         …

첫 번째   두 번째   세 번째

(   )

1 다음은 쌓기나무 **9**개로 쌓은 모양을 위와 앞에서 본 모양입니다. 옆에서 본 모양을 그려 보시오.

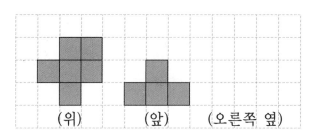

(위)　　　(앞)　　(오른쪽 옆)

위에서 본 모양의 바탕 위에 쌓을 수 있는 쌓기나무의 개수를 적어 봅니다.

2 **8**개의 쌓기나무로 오른쪽과 같이 쌓았습니다. 위에서 보이는 면과 옆에서 보이는 면의 개수는 모두 몇 개인지 구하시오.

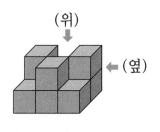

(　　　　　)

위와 옆에서 본 모양을 그려 봅니다.

3 다음과 같이 쌓기나무를 앞, 옆 어느 방향에서 보더라도 같은 모양이 되게 쌓았습니다. 위, 앞, 옆 어느 방향에서도 보이지 않는 쌓기나무는 모두 몇 개인지 구하시오.

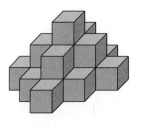

(　　　　　)

가려져 있는 쌓기나무를 1층과 2층으로 나누어 살펴봅니다.

4 오른쪽과 같이 쌓기나무를 쌓은 다음 위에서 보이는 면에는 파란색, 앞에서 보이는 면에는 빨간색 물감을 칠했습니다. 어느 색 물감을 몇 개의 면에 더 많이 칠했는지 구하시오.

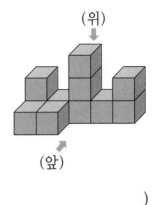

(위)

(앞)

(   ), (   )

위와 앞에서 본 모양을 그려 봅니다.

5 쌓기나무로 쌓아 만든 가와 나를 위, 앞, 오른쪽 옆에서 본 모양입니다. 가와 나를 만드는 데 사용된 쌓기나무는 모두 몇 개인지 구하시오.

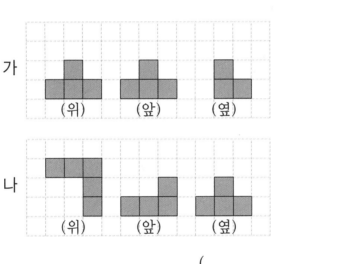

가

(위)   (앞)   (옆)

나

(위)   (앞)   (옆)

(   )

위에서 본 모양의 바탕에 쌓기나무의 개수를 적어 봅니다.

6 7개의 쌓기나무로 쌓은 모양의 겉면에 파란색으로 페인트칠을 하려고 합니다. 바닥에 닿는 면을 빼고 칠한다면, 모두 몇 개의 면을 칠해야 하는지 구하시오.

(   )

숨겨져 보이지 않는 쌓기나무에 유의하세요.

개념 확인

1. 몸을 이용하여 길이 재기

뼘의 길이와 같이 어떤 길이를 재는 데 기준이 되는 길이를 단위길이라고 합니다.

2. 단위길이로 길이 재기

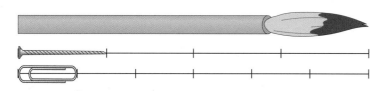

- 붓의 길이는 못의 길이로 4번입니다.
- 붓의 길이는 클립의 길이로 6번입니다.

> 하나의 길이를 여러 가지 단위길이로 재어 나타낼 때, 단위길이가 짧을수록 재어 나타낸 수가 커지고, 단위길이가 길수록 재어 나타낸 수가 작아집니다.

3. 자를 알고 사용하기

자에서 큰 눈금 한 칸의 길이는 모두 같습니다. 이 길이를 1 cm라 쓰고 1 센티미터라고 읽습니다.

4. 자를 사용하여 길이 재기

물건의 길이를 자로 잴 때에는 물건의 한쪽 끝을 자의 처음 눈금 0에 맞춘 다음, 다른 한쪽 끝이 닿는 눈금을 읽습니다. ➡ 연필의 길이는 7 cm입니다.

5. 길이 어림하기

- 길이가 자의 눈금 사이에 있을 때는 눈금과 가까운 쪽에 있는 숫자를 읽으며 숫자 앞에 약이라고 붙여 말합니다.

➡ 4 cm에 가깝기 때문에 약 4 cm입니다.

- 어림한 길이를 말할 때에는 약 ☐ cm라고 합니다.

➡ 색연필을 어림한 길이는 약 5 cm입니다.

개념익히기

1 칠판 아래쪽의 길이를 양팔을 벌려 재려고 합니다. 몇 번 재어야 합니까?

(   )

2 스케치북의 길이는 몇 뼘입니까?

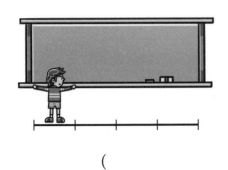

(   )

3 ☐ 안에 알맞은 말을 써넣으시오.

> 어떤 길이를 재는 데 기준이 되는 길이를
> ☐ 라고 합니다.

4 주어진 길이는 단위길이로 몇 번입니까?

(   )

5 ☐ 안에 알맞은 수를 써넣으시오.

(1) 지우개의 길이는 1 cm로 ☐ 번입니다.

(2) 지우개의 길이는 ☐ cm입니다.

6 못의 길이를 자로 재어 보시오.

(   )

7 막대의 길이를 어림하고, 자로 재어 보시오.

어림한 길이는 약 ☐ cm입니다.

자로 잰 길이는 ☐ cm입니다.

1 다음 주어진 길이를 우리 몸의 어느 부분을 이용하여 재려고 합니다. 어느 부분으로
재면 좋을지 알아보시오.

(1)   (2)

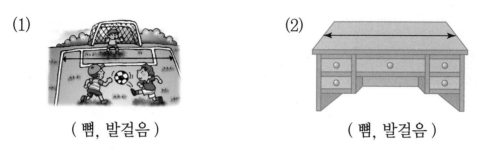

(뼘, 발걸음)   (뼘, 발걸음)

2 빨대와 지우개의 길이를 재어 보시오.

(1)

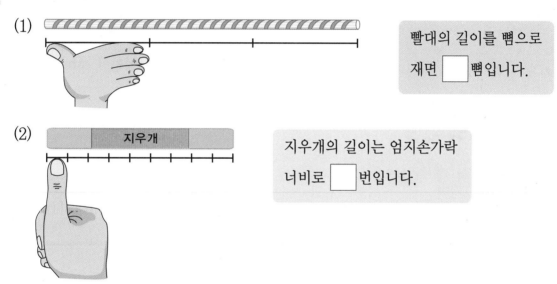

빨대의 길이를 뼘으로
재면 ☐ 뼘입니다.

(2)

지우개의 길이는 엄지손가락
너비로 ☐ 번입니다.

3 선의 길이를 주어진 단위길이 ㉮, ㉯, ㉰로 재었습니다. 선의 길이는 가장 긴 단위길
이로 몇 번입니까?

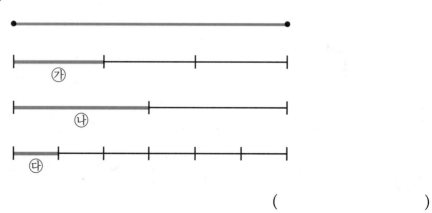

(   )

4 다음 중 길이를 재는 데 가장 정확한 단위길이는 무엇입니까? (   )

① 한 걸음　　　　② 어른 키　　　　③ 한 뼘

④ 1 cm　　　　　⑤ 젓가락 길이

5 단위길이의 다음 번만큼 색칠하시오.

⬜ 단위길이

(1) **2번**

(2) **4번**

(3) **5번**

6 숟가락의 길이를 클립, 바늘, 옷핀으로 재어 보았습니다. 어느 것으로 재어 나타낸 수가 가장 작습니까?

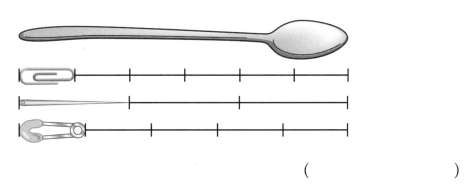

(　　　　　　)

7 □ 안에 알맞은 수를 써넣으시오.

(1)
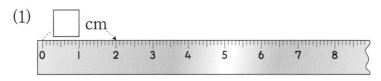

(2)
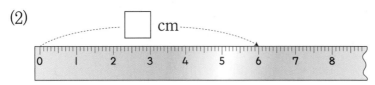

8 그림을 보고 물음에 답하시오.

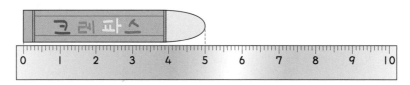

(1) 크레파스의 길이는 1cm로 몇 번입니까?

( )

(2) 크레파스의 길이는 몇 cm입니까?

( )

9 선의 길이는 몇 cm입니까?

( )

10 자를 사용하여 연필의 길이를 재어 보시오.

(1) 자를 사용하여 바르게 대고 잰 것은 어느 것입니까? (   )

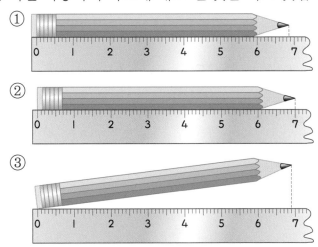

(2) 위 (1)에서 바르게 잰 연필의 길이는 ☐ cm입니다.

11 연필의 길이를 어림하고 자로 재어 보시오.

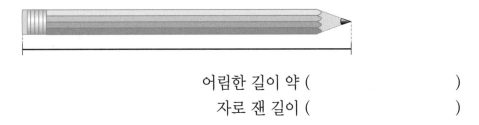

어림한 길이 약 (   )
자로 잰 길이 (   )

12 포크의 길이는 몇 cm입니까?

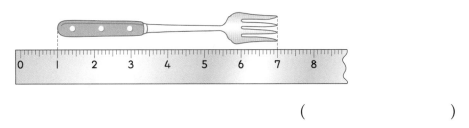

(   )

1 몸을 이용하여 길이를 재려고 합니다. 적당하게 연결되지 <u>않은</u> 것은 어느 것입니까? (   )

① 방 문의 짧은 쪽의 길이 ➡ 뼘
② 색연필의 길이 ➡ 엄지손가락 너비
③ 강당의 길이 ➡ 발걸음
④ 우산의 길이 ➡ 양팔
⑤ 베란다 창문의 긴 쪽의 길이 ➡ 양팔

2 수학 교과서의 긴 쪽의 길이를 다음 물건을 단위길이로 하여 재었습니다. 재어 나타낸 수가 가장 작은 것을 찾아 기호를 쓰시오.

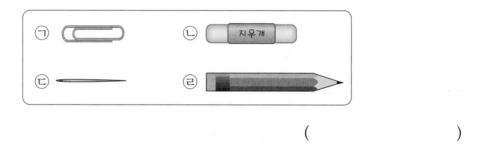

(   )

3 ㉮와 ㉯의 길이는 각각 몇 cm입니까?

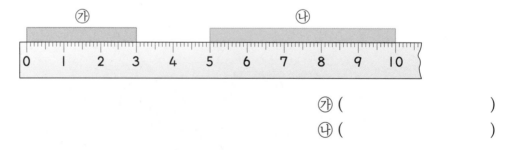

㉮ (   )
㉯ (   )

4 탁자의 길이는 가영이의 필통 5개의 길이와 같고, 가영이의 필통은 지우개 4개의 길이와 같습니다. 탁자의 길이는 지우개 길이로 몇 번입니까?

(   )

5 오른쪽 도형의 변의 길이를 자로 재어 ☐ 안에 알맞은 수를 써넣으시오.

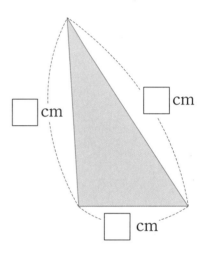

☐ cm

☐ cm

☐ cm

6 연필과 색연필 중 어느 것이 더 깁니까?

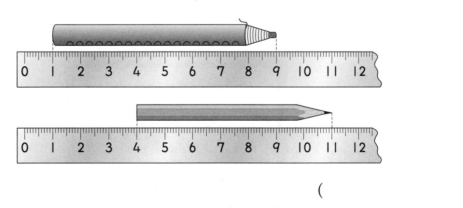

(   )

💡 그림에서 가장 작은 사각형의 네 변의 길이는 각각 1 cm로 같습니다. 물음에 답하시오. [7~8]

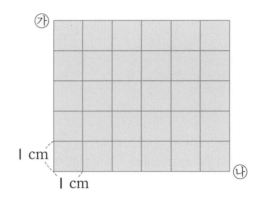

7 가장 작은 사각형의 변을 따라갈 때, ㉮에서 ㉯까지 가장 가까운 길은 몇 cm입니까?

(   )

8 그림에서 네 변의 길이가 같으면서 가장 큰 사각형을 그리면 한 변의 길이는 몇 cm가 됩니까?

(   )

9 액자의 긴 쪽의 길이는 짧은 쪽의 길이보다 몇 cm 더 긴지 자로 재어 알아보시오.

(   )

10 용희의 한 걸음의 길이는 57 cm입니다. 한초의 한 걸음은 용희보다 4 cm 더 짧고, 영수의 한 걸음은 한초보다 6 cm 더 길 때, 영수의 한 걸음의 길이는 몇 cm입니까?

(   )

11 마주 보는 두 변의 길이가 같은 사각형이 있습니다. 이 사각형의 긴 쪽의 길이는 짧은 쪽의 길이보다 3 cm 더 깁니다. 이 사각형의 둘레의 길이가 34 cm일 때, 긴 쪽의 길이는 몇 cm입니까?

(   )

12 한 뼘의 길이가 한초는 12 cm이고, 석기는 한초보다 3 cm 더 길고, 동민이는 석기보다 2 cm 더 짧습니다. 한초와 동민이 중 누구의 한 뼘의 길이가 몇 cm 더 깁니까?

(   ), (   )

금메달따기

1 가장 작은 사각형의 한 변의 길이가 모두 같을 때 길이가 가장 긴 것부터 차례로 기호를 쓰시오.

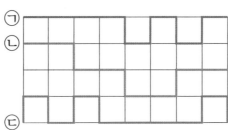

(   )

2 길이가 11 cm인 색 테이프 7장을 다음 그림과 같이 이으려고 합니다. 이어진 전체 길이는 모두 몇 cm입니까? (단, 색 테이프를 붙일 때 겹쳐지는 부분은 2 cm씩입니다.)

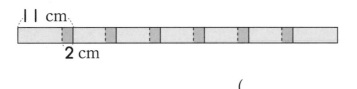

(   )

3 길이가 1 cm인 막대로 다음과 같은 모양을 꾸미려고 합니다. 사용한 막대를 모두 늘어놓는다면 그 길이는 몇 cm가 되겠습니까?

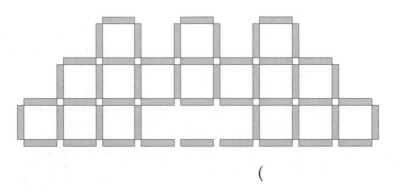

(   )

4 사각형이 그려진 종이를 다음 그림과 같이 굵은 선을 따라 자르면 잘린 선의 길이는 몇 cm입니까?

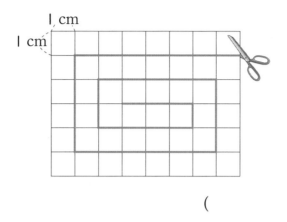

(   )

생각의 샘

굵은 선을 따라 자르면 잘린 칸은 모두 몇 칸이 되는지 알아봅니다.

5 연필, 크레파스, 못을 이용하여 나무막대의 길이를 재었더니 다음과 같았습니다. 못 1개의 길이가 2 cm라면 나무막대의 길이는 몇 cm입니까?

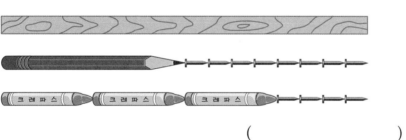

(   )

먼저 크레파스의 길이는 못 몇 개의 길이와 같은지 알아봅니다.

6 못의 길이는 몇 cm입니까?

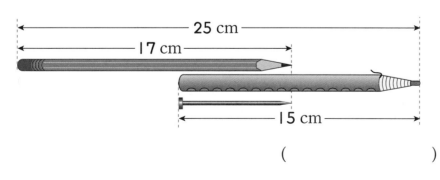

(   )

못의 길이는 연필과 색연필이 겹치는 부분의 길이와 같습니다.

1. 길이 알아보기

- 100 cm를 1미터라고 합니다.
- 1미터는 1 m라고 씁니다.
- 126 cm는 1 m보다 26 cm 더 깁니다.
- 126 cm를 1 m 26 cm라고 씁니다.
- 1 m 26 cm를 1미터 26 센티미터라고 읽습니다.

100 cm = 1 m

$1m$

126 cm = 1 m 26 cm

2. 길이의 합 구하기

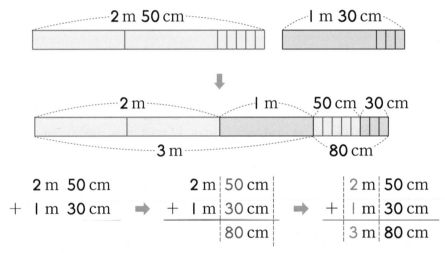

```
    2 m  50 cm              2 m │50 cm│              2 m │50 cm
  +  1 m  30 cm      ➡    +  1 m │30 cm│      ➡    + │ 1 m │30 cm
                           ─────────────            ─────────────
                                  │80 cm│            3 m │80 cm
```

m는 m끼리, cm는 cm끼리 자리를 맞춘 다음 cm를 먼저 더하고 m를 더합니다.

3. 길이의 차 구하기

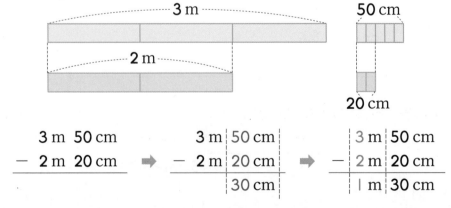

```
    3 m  50 cm              3 m │50 cm│              3 m │50 cm
  −  2 m  20 cm      ➡    −  2 m │20 cm│      ➡    − │ 2 m │20 cm
                           ─────────────            ─────────────
                                  │30 cm│            1 m │30 cm
```

m는 m끼리, cm는 cm끼리 자리를 맞춘 다음 cm를 먼저 빼 주고 m를 빼 줍니다.

개념익히기

1 □ 안에 알맞은 수를 써넣으시오.

(1) 500 cm = □ m

(2) 7 m = □ cm

2 □ 안에 알맞은 수를 써넣으시오.

(1) 629 cm = □ cm + 29 cm

           = □ m + 29 cm

           = □ m □ cm

(2) 9 m 41 cm = □ m + 41 cm

              = □ cm + 41 cm

              = □ cm

3 그림을 보고 □ 안에 알맞은 수를 써넣으시오.

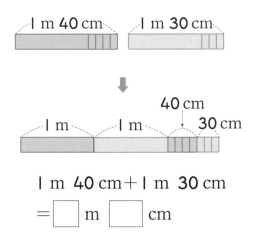

1 m 40 cm + 1 m 30 cm

= □ m □ cm

4 □ 안에 알맞은 수를 써넣으시오.

(1)
$$\begin{array}{r} 2 \text{ m } 50 \text{ cm} \\ + \ 5 \text{ m } 40 \text{ cm} \\ \hline \square \text{ m } \square \text{ cm} \end{array}$$

(2)
$$\begin{array}{r} 4 \text{ m } 37 \text{ cm} \\ + \ 1 \text{ m } 52 \text{ cm} \\ \hline \square \text{ m } \square \text{ cm} \end{array}$$

5 그림을 보고 □ 안에 알맞은 수를 써넣으시오.

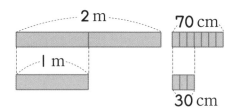

2 m 70 cm − 1 m 30 cm

= □ m □ cm

6 □ 안에 알맞은 수를 써넣으시오.

(1)
$$\begin{array}{r} 7 \text{ m } 80 \text{ cm} \\ - \ 4 \text{ m } 20 \text{ cm} \\ \hline \square \text{ m } \square \text{ cm} \end{array}$$

(2)
$$\begin{array}{r} 8 \text{ m } 79 \text{ cm} \\ - \ 2 \text{ m } 45 \text{ cm} \\ \hline \square \text{ m } \square \text{ cm} \end{array}$$

1 ☐ 안에 알맞은 수를 써넣으시오.

(1) 600 cm = ☐ m

(2) 300 cm = ☐ m

(3) 2 m = ☐ cm

(4) 8 m = ☐ cm

2 다음을 읽어 보시오.

7 m 35 cm

(   )

3 ☐ 안에 알맞은 수를 써넣으시오.

(1) 382 cm = ☐ m ☐ cm

(2) 5 m 17 cm = ☐ cm

4 ○ 안에 >, =, <를 알맞게 써넣으시오.

(1) 4 m 63 cm ○ 470 cm

(2) 205 cm ○ 2 m 50 cm

5 □ 안에 알맞은 수를 써넣으시오.

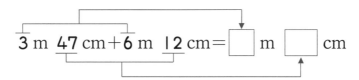

$$3\,m\ 47\,cm + 6\,m\ 12\,cm = \boxed{}\,m\ \boxed{}\,cm$$

6 계산을 하시오.

(1)
```
  5 m  31 cm
+ 3 m  25 cm
```

(2)
```
  7 m  11 cm
+ 2 m  72 cm
```

(3) 4 m 49 cm + 3 m 20 cm

(4) 1 m 83 cm + 6 m 14 cm

7 ○ 안에 >, =, <를 알맞게 써넣으시오.

3 m 41 cm + 4 m 22 cm ◯ 760 cm

8 학교에서 도서관을 거쳐 집까지 가는 거리는 몇 m 몇 cm입니까?

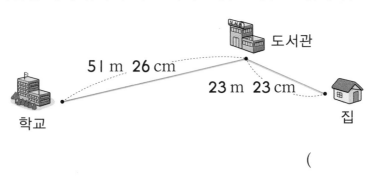

51 m 26 cm   23 m 23 cm

학교   도서관   집

(   )

9 ☐ 안에 알맞은 수를 써넣으시오.

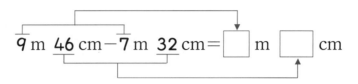

9 m 46 cm − 7 m 32 cm = ☐ m ☐ cm

10 계산을 하시오.

(1)   8 m   57 cm
    − 5 m   26 cm

(2)   4 m   86 cm
    − 2 m   83 cm

(3) 7 m 68 cm − 3 m 10 cm

(4) 6 m 97 cm − 1 m 25 cm

11 그림을 보고 ☐ 안에 알맞은 수를 써넣으시오.

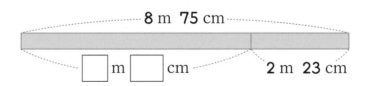

8 m 75 cm

☐ m ☐ cm   2 m 23 cm

12 꽃밭의 가로의 길이는 37 m 45 cm이고, 세로의 길이는 26 m 20 cm입니다. 가로의 길이는 세로의 길이보다 몇 m 몇 cm 더 깁니까?

(   )

13 그림을 보고 ☐ 안에 알맞은 수를 써넣으시오.

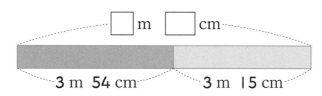

14 큰 상자를 포장한 끈을 풀었더니 4 m 20 cm이었고, 작은 상자를 포장한 끈을 풀었더니 1 m 55 cm이었습니다. 두 상자를 포장하기 위해 사용한 끈의 길이는 모두 몇 m 몇 cm입니까?

( )

15 ☐ 안에 알맞은 수를 써넣으시오.

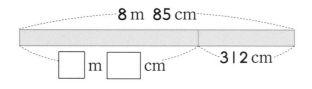

16 신영이와 규형이가 공던지기놀이를 하였습니다. 공을 신영이는 7 m 30 cm, 규형이는 8 m 70 cm 던졌습니다. 규형이는 신영이보다 몇 m 몇 cm 더 멀리 던졌습니까?

( )

1 ㉠과 ㉡에 알맞은 수를 구하시오.

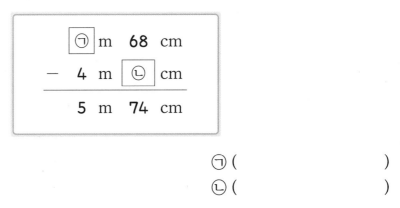

	㉠	m	68	cm
−	4	m	㉡	cm
	5	m	74	cm

㉠ (   )

㉡ (   )

2 한초는 1분 동안 54 m 21 cm씩 걷고, 영수는 1분 동안 55 m 75 cm씩 걷는다고 합니다. 한초와 영수가 똑같이 3분 동안 걸었다면 누가 몇 m 몇 cm 더 많이 걸었습니까?

(   ), (   )

3 용희는 높이가 54 cm인 의자에 올라서서 바닥에서부터 머리 끝까지 재었더니 1 m 85 cm가 되었습니다. 이번에는 책상 위에 올라서서 똑같이 재었더니 213 cm가 되었습니다. 책상의 높이를 구하시오.

(   )

4 막대 3개가 있습니다. 가는 나보다 16 cm 더 길고, 나는 다보다 20 cm 더 짧습니다. 다의 길이가 2 m 43 cm일 때, 가의 길이는 몇 m 몇 cm인지 설명하시오.

----

5 집에서 도서관으로 바로 가는 것보다 병원을 거쳐 도서관으로 가는 것은 몇 m 몇 cm 더 멉니까?

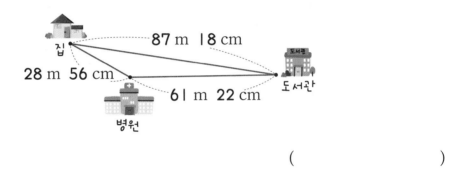

(   )

6 약국과 학교 사이의 거리는 몇 m 몇 cm입니까?

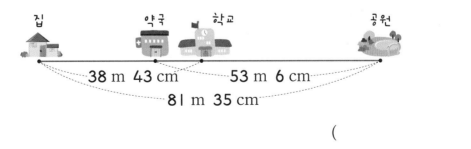

(   )

7 선생님께서 예슬, 가영, 석기, 용희에게 어림하여 **6 m**가 되도록 끈을 자르라고 하셨습니다. 자른 끈의 길이가 다음과 같다면 실제의 길이에 가장 가깝게 자른 사람은 누구입니까?

이름	예슬	가영	석기	용희
끈의 길이(cm)	625	610	589	593

(   )

8 길이가 **3 m 87 cm**인 끈에서 얼마를 사용하고, 남은 길이를 **8 cm**씩 잘랐더니 **7** 도막이 되었습니다. 사용한 끈의 길이는 몇 m 몇 cm입니까?

(   )

9 오른쪽 그림과 같은 모양의 도형을 그리려고 합니다. 모든 변의 길이를 똑같게 그리면 변의 길이는 모두 몇 m 몇 cm입니까?

75 cm

(   )

10 다음을 읽고 키가 가장 작은 사람의 이름을 쓰고, 키가 몇 cm인지 쓰시오.

> • 영수는 한별이보다 **5 cm** 더 큽니다.
> • 지혜는 영수보다 **6 cm** 더 작습니다.
> • 한별이의 키는 3 m **86** cm보다 **252** cm 더 작습니다.

(   ), (   )

11 집에서 학원까지 가는 데 오른쪽 그림과 같이 두 가지 길이 있습니다. ㉮, ㉯ 중 어느 길로 가는 것이 몇 m 더 가깝습니까?

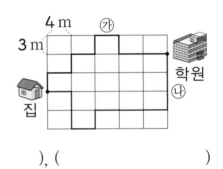

(   ), (   )

12 길이가 1 m 21 cm인 끈 4개를 그림과 같이 같은 간격으로 겹쳐 이었더니 전체 길이가 4 m 51 cm이었습니다. 겹쳐진 부분 한 개의 길이는 몇 cm인지 설명하시오.

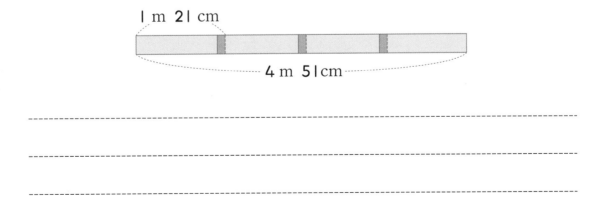

금메달 따기

1 한솔이는 **3 m 30 cm**의 색 테이프를 가지고 다음과 같은 상자를 묶었습니다. 상자를 묶고 남은 색 테이프는 몇 m 몇 cm입니까?

(단, 매듭의 길이는 **32 cm**입니다.)

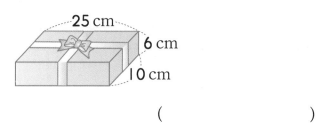

(   )

먼저 사용한 색 테이프의 길이는 몇 m 몇 cm인지 알아봅니다.

2 네 변의 길이가 같은 사각형과 세 변의 길이가 같은 삼각형이 있습니다. 둘레의 길이는 사각형과 삼각형 중 어느 것이 몇 cm 더 깁니까?

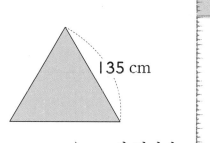

(   )이 (   ) cm 더 깁니다.

사각형과 삼각형의 둘레의 길이를 구한 후 비교해 봅니다.

3 길이가 다음과 같은 나무 막대 ㉠, ㉡, ㉢이 1개씩 있습니다. ㉠, ㉡, ㉢을 모두 한 번씩 사용하여 잴 수 있는 길이를 가장 긴 순서대로 구해 보시오.

| ㉠ 1 m 23 cm | ㉡ 2 m 15 cm | ㉢ 3 m 46 cm |

(   )

나무 막대의 길이의 합과 차를 이용하여 잴 수 있는 길이를 알아봅니다.

4 그림과 같이 길이가 서로 다른 나무 도막 **8**개를 놓았습니다. ㉠+㉡-㉢의 길이는 몇 cm인지 구하시오.

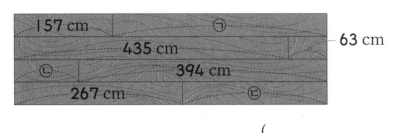

먼저 나무 도막을 놓은 길이가 몇 cm 인지 알아봅니다.

(   )

5 그림을 보고 겹쳐지는 부분인 ㉠, ㉡의 길이는 각각 몇 cm인지 구하시오.

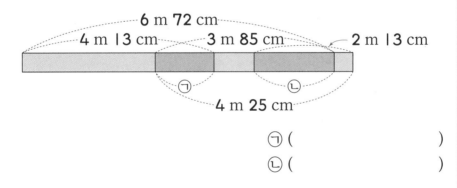

(겹쳐진 부분의 길이)
=(두 막대의 길이의 합)
    -(두 막대를 이은 길이)

㉠ (   )
㉡ (   )

6 상연이는 운동장을 **2**분에 **86 m 26 cm**씩 걷고, 가영이는 **1**분에 **44 m 86 cm**씩 걷습니다. 상연이와 가영이가 똑같이 **4**분을 걸으면 누가 몇 m 몇 cm 더 걷겠습니까?

먼저 1분 동안 누가 몇 m 몇 cm를 더 많이 걷는지 알아봅니다.

(   ), (   )

중간 평가

맞은 개수	20~18	17~16	15~14	13~
평 가	최우수	우수	보통	노력요함

1 다음 중 곧은 선으로만 둘러싸인 도형이 <u>아닌</u> 것은 어느 것입니까? (   )

2 다음 중 삼각형과 관계있는 것을 모두 고르시오. (   )

① 3개의 곧은 선으로 둘러싸여 있습니다.
② 4개의 곧은 선으로 둘러싸여 있습니다.
③ 꼭짓점이 3개 있습니다.
④ 꼭짓짐이 4개 있습니다.
⑤ 동그란 모양의 도형입니다.

3 다음에서 원은 모두 몇 개입니까?

(   )

4 삼각형을 모두 고르시오. (   )

5 사각형을 모두 찾아 기호를 쓰시오.

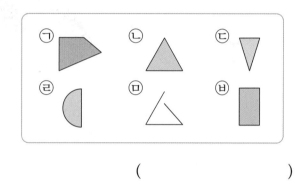

(   )

6 다음은 색종이를 오려서 만든 것입니다. 사각형, 삼각형, 원은 각각 몇 개인지 ☐ 안에 알맞은 수를 써넣으시오.

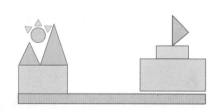

사각형	삼각형	원
☐개	☐개	☐개

💡 **도형을 보고 물음에 답하시오. [7~8]**

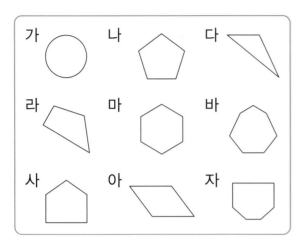

7 오각형을 모두 찾아 기호를 쓰시오.

(   )

8 꼭짓점이 6개인 도형을 모두 찾아 기호를 쓰시오.

(   )

9 다음 칠교판의 네 조각을 사용하여 오각형을 만들어 보시오.

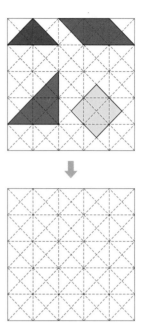

10 칠교판의 네 조각을 사용하여 육각형을 만들어 보시오.

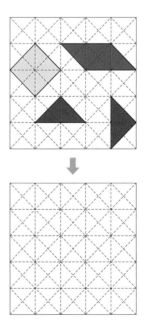

11 오른쪽 모양에 쌓기나무 2개를 더 쌓아 만들 수 있는 모양을 모 두 찾아 기호를 쓰시오.

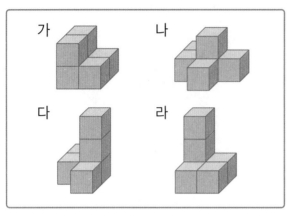

( )

12 쌓은 모양을 보고, 몇 개의 쌓기나무로 쌓 은 것인지 정확히 알 수 없는 것은 어느 것 입니까? ( )

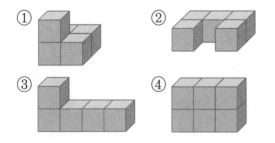

13 사용한 쌓기나무의 개수가 같은 것끼리 선 으로 이으시오.

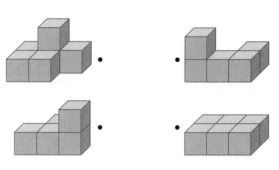

14 왼쪽 모양을 오른쪽 모양과 똑같이 만들려 고 합니다. 빼내야 할 쌓기나무는 어느 것 입니까?

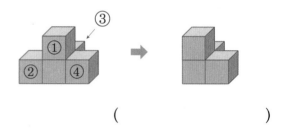

( )

15 □ 안에 알맞은 수를 써넣으시오.

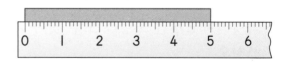

자를 이용하여 물건의 길이를 잴 때는 물건 의 한쪽 끝을 처음 눈금 □ 에 맞추고 자 를 바르게 놓은 다음, 다른쪽 끝의 눈금을 읽습니다.

➡ 위 그림에서 막대의 길이는 □ cm입 니다.

16 막대 ㉮, ㉯의 길이는 각각 몇 cm입니까?

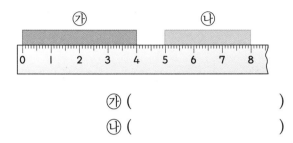

㉮ (   )

㉯ (   )

17 ☐ 안에 알맞은 수를 써넣으시오.

(1) 600 cm = ☐ m

(2) 576 cm = ☐ m ☐ cm

(3) 3 m = ☐ cm

(4) 5 m 8 cm = ☐ cm

18 ☐ 안에 알맞은 수를 써넣으시오.

(1) 4 m 42 cm + 2 m 7 cm

= ☐ m ☐ cm

(2) 8 m 78 cm − 5 m 52 cm

= ☐ m ☐ cm

19 규형이와 친구들이 달력의 긴 쪽의 길이를 어림한 길이와 자로 잰 길이의 차를 나타 낸 것입니다. 가장 잘 어림한 사람을 찾고, 이유를 설명하시오.

| 규형 : 2 cm | 예슬 : 3 cm |
| 가영 : 0 cm | 신영 : 5 cm |

_____

_____

_____

20 학교에서 집까지 거리는 학교에서 우체국 까지 거리보다 몇 m 몇 cm가 더 멉니까?

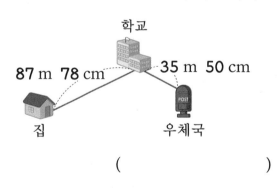

(   )

개념 확인

1. 시각 알아보기

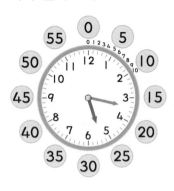

- 시계에서 긴바늘이 숫자 1, 2, 3, …을 가리키면 각각 5분, 10분, 15분, …을 나타냅니다.
- 시계에서 긴바늘이 가리키는 작은 눈금 한 칸은 1분을 나타냅니다.
- 왼쪽 그림의 시계가 나타내는 시각은 5시 17분입니다.

긴바늘이 가리키는 숫자	1	2	3	4	5	6	7	8	9	10	11
분	5	10	15	20	25	30	35	40	45	50	55

2. 여러 가지 방법으로 시각 읽기

- 7시 50분을 8시 10분 전이라고도 합니다.
- 7시 50분 ←→ 8시 10분 전

3. 시간 알아보기

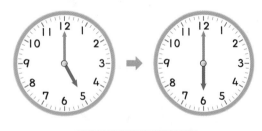

1시간=60분

- 시각과 시각 사이를 시간이라고 합니다.
- 시계의 짧은바늘이 5에서 6으로 움직이는 데 걸리는 시간은 1시간입니다.
- 시계의 긴바늘이 한 바퀴 도는데 걸리는 시간은 60분 입니다.
- 1시간은 60분입니다.

어떤 시각에서 어떤 시각까지의 사이를 시간이라고 합니다.

1 시계를 보고 □ 안에 알맞은 수를 써넣으시오.

(1) 시계의 짧은바늘은 숫자 □와 □ 사이에 있고, 긴바늘은 숫자 □을 가리킵니다.

(2) 시계가 나타내는 시각은 □시 □분 입니다.

2 시계가 나타내는 시각을 읽어 보시오.

(1) 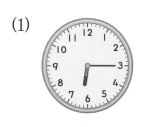   (2)

 □시 □분    □시 □분

3 시각에 맞게 시계에 긴바늘을 그려 넣으시오.

(1) 8시 35분   (2) 4시 32분

4 □ 안에 알맞은 수를 써넣으시오.

2시 55분은 3시 □분 전입니다.

5 한초가 7시 20분에 밥을 먹기 시작하여 7시 45분에 밥을 다 먹었습니다. 한초가 밥을 먹는데 걸린 시간은 얼마인지 알아보시오.

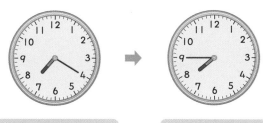

밥을 먹기 시작한 시각   밥을 다 먹은 시각

한초가 밥을 먹는데 걸린 시간은 □분 입니다.

6 □ 안에 알맞은 수를 써넣으시오.

(1) 60분은 □시간입니다.

(2) 90분은 □시간 □분입니다.

(3) 120분은 □시간입니다.

(4) 150분은 □시간 □분입니다.

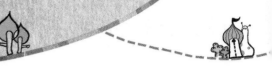

1 시계의 긴바늘이 가리키는 숫자는 몇 분을 나타내는지 빈칸에 알맞게 써넣으시오.

숫자	1	4	5	7	8	11
분	5					

2 시계가 나타내는 시각을 읽어 보시오.

(1)

☐시 ☐분

(2)

☐시 ☐분

3 같은 시각끼리 선으로 이으시오.

·   ·   ·

·   ·   ·

4 다음 시각을 시계에 나타내시오.

5시 40분

5 한솔이가 숙제를 시작한 시각과 끝낸 시각을 나타낸 것입니다. □ 안에 알맞은 수를 써넣으시오.

숙제를 시작한 시각　　　　　숙제를 끝낸 시각

(1) 숙제를 시작한 시각은 □ 시입니다.

(2) 숙제를 끝낸 시각은 □ 시 □ 분입니다.

(3) 숙제를 하는 데 걸린 시간은 □ 시간 □ 분입니다.

(4) 숙제를 하는 데 걸린 시간은 □ 분입니다.

6 시각을 2가지 방법으로 읽어 보시오.

· 5시 □ 분
· 6시 □ 분 전

7 ☐ 안에 알맞은 수를 써넣으시오.

(1) 240분은 ☐ 시간입니다.

(2) 3시간은 ☐ 분입니다.

(3) 70분은 ☐ 시간 ☐ 분입니다.

(4) 4시 50분은 5시 ☐ 분 전입니다.

8 진이가 게임을 시작한 시각과 끝낸 시각을 나타낸 것입니다. 진이가 게임을 한 시간은 몇 시간 몇 분입니까?

시작한 시각   끝낸 시각

(   )

9 진희는 오후 3시 15분에 잠자기 시작하여 1시간 20분 동안 낮잠을 잤습니다. 진희가 잠에서 깨어난 시각은 오후 몇 시 몇 분입니까?

(   )

10 은희는 1시간 18분을, 재호는 82분을 공부했습니다. 공부한 시간이 더 많은 사람은 누구입니까?

(   )

11 오른쪽 시계는 보미가 공부를 시작한 시각을 나타낸 것입니다. 공부를 한 시간이 50분이라면 공부를 끝낸 시각은 몇 시 몇 분입니까?

(   )

12 시각에 맞게 시계 바늘을 그려 넣으시오.

1 백설공주가 난쟁이들의 집에 가기 위해 궁궐을 출발한 시각과 난쟁이들의 집에 도착한 시각을 나타낸 것입니다. 백설공주가 궁궐을 출발하여 난쟁이들의 집에 도착하는 데 걸린 시간은 몇 시간 몇 분입니까?

출발한 시각　　　　　도착한 시각

(　　　　　　　　　)

2 대호는 운동을 3시에 시작하여 5시 15분에 마쳤습니다. 대호가 운동을 한 시간은 몇 시간 몇 분입니까?

(　　　　　　　　　)

3 시계를 보고 ☐ 안에 알맞은 수를 써넣으시오.

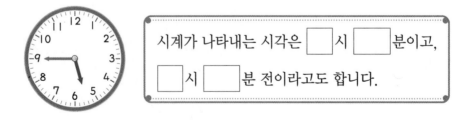

시계가 나타내는 시각은 ☐시 ☐분이고,

☐시 ☐분 전이라고도 합니다.

4 규형이는 4시 10분에 숙제를 하기 시작하여 시계의 긴바늘이 한 바퀴를 돌고, 더 돌아 숫자 **7**을 가리킬 때 숙제를 끝냈습니다. 규형이가 숙제를 끝낸 시각은 몇 시 몇 분입니까?

(   )

5 성연이는 지난 일요일에 가족과 함께 공원에 다녀왔습니다. 시계를 보고 집을 출발한 후부터 집에 도착할 때까지 걸린 시간은 몇 시간 몇 분인지 구하시오.

집을 출발한 시각   집에 도착한 시각

(   )

6 오른쪽 시계는 정확한 시계보다 **2**시간 **5**분이 빠릅니다. 정확한 시각은 몇 시 몇 분입니까?

(   )

7 시각에 맞게 시계 바늘을 그려 넣으시오.

35분 전   3시간 20분 후

8 배구 경기가 5시 25분에 시작하여 160분 후에 끝났습니다. 배구 경기가 끝난 시각은 몇 시 몇 분입니까?

(   )

9 시계의 짧은바늘이 숫자 5와 6 사이에 있고, 긴바늘이 숫자 8보다 작은 눈금 두 칸 못 간 곳을 가리키면 몇 시 몇 분입니까?

(   )

10 다음 시계가 나타내는 시각에서 긴바늘이 작은 눈금 16칸을 더 움직이면 몇 시 몇 분인지 구하시오.

(   )

11 한초가 시계를 보았더니 긴바늘이 숫자 10보다 작은 눈금 한 칸 못 간 곳을 가리키고 있었고, 짧은바늘은 숫자 3에 가장 가까이 있었습니다. 한초가 시계를 본 시각은 몇 시 몇 분입니까?

(   )

12 다음은 거울에 비친 시계입니다. 몇 시 몇 분입니까?

(   )

1 영화가 6시 10분에 끝났습니다. 영화 상영 시간이 1시간 40분이라면 영화가 시작된 시각은 몇 시 몇 분인지 설명하시오.

영화가 시작된 시각은 영화가 끝난 시각의 1시간 40분 전입니다.

2 가운데 시계가 나타내는 시각에서 3시간 20분 전과 4시간 45분 후의 시각을 나타내시오.

3시간 20분 전   4시간 45분 후

3 다음과 같이 숫자가 없는 시계가 있습니다. 물음에 답하시오.

시계를 거울에 비추면 위와 아래는 바뀌지 않고 왼쪽과 오른쪽의 위치가 바뀝니다.

(1) 위의 그림처럼 거울에 비추었을 때의 시각은 몇 시 몇 분입니까?

(   )

(2) 위의 시계가 나타내는 시각에서 몇 시간 몇 분이 지나야 위의 시계를 거울에 비추었을 때의 시각이 됩니까?

(   )

4 다음은 시계를 어떤 규칙에 따라 늘어놓은 것입니다. 마지막에 있는 시계의 시각은 몇 시 몇 분을 가리키겠습니까?

(   )

몇 분씩 늘어나는지 규칙을 찾아봅니다.

5 다음은 종신이와 진구가 목욕을 시작한 시각과 끝낸 시각을 나타낸 것입니다. 누가 더 오랫동안 목욕을 하였습니까?

	시작한 시각	끝낸 시각
종신	3시 25분	4시 18분
진구	4시 54분	5시 45분

(   )

두 사람이 목욕을 하는 데 걸린 시간을 각각 구한 후 비교합니다.

6 상연이는 수영장에서 수영을 하였습니다. 수영을 시작한 지 85분 후에 끝났고 수영이 끝난 시각은 다음과 같습니다.

$$8:25$$

이때 시계에 표시된 숫자의 합은 8+2+5=15입니다. 수영을 시작한 시각부터 끝난 시각까지 시계에 표시되는 숫자의 합이 14가 되는 때는 모두 몇 번입니까?

(   )

수영을 시작한 시각부터 끝난 시각까지 3개의 숫자의 합이 14가 되는 때를 차례로 알아봅니다.

7. 하루의 시간과 달력 알아보기

개념 확인

1. 하루의 시간 알아보기

- 하루는 24시간입니다.

1일＝24시간

- 전날 밤 12시부터 낮 12시까지를 오전이라 하고, 낮 12시부터 밤 12시까지를 오후라고 합니다.

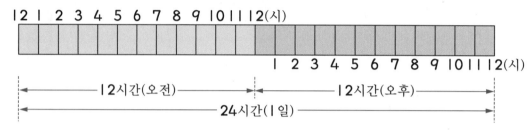

> - 시계의 짧은바늘이 시계를 한 바퀴 도는 데 걸리는 시간은 12시간입니다.
> - 짧은바늘은 하루에 2바퀴 돕니다.

2. 달력 알아보기

(1) 1주일은 일요일, 월요일, 화요일, 수요일, 목요일, 금요일, 토요일로 7일입니다.

1주일＝7일

> 같은 요일은 7일마다 반복됩니다.

(2) 1년은 1월, 2월, 3월, 4월, 5월, 6월, 7월, 8월, 9월, 10월, 11월, 12월로 12개월입니다.

1년＝12개월

(3) 각 달의 날수

월	1	2	3	4	5	6	7	8	9	10	11	12
날수	31	28(29)	31	30	31	30	31	31	30	31	30	31

개념 익히기

1 ☐ 안에 알맞은 말을 써넣으시오.

전날 밤 12시부터 낮 12시까지를 ☐ 이라 하고, 낮 12시부터 밤 12시까지를 ☐ 라고 합니다.

2 영수는 오전 8시에 등교를 하고, 오후 3시에 하교를 했습니다. 영수가 학교에 있었던 시간은 몇 시간입니까?

12 1 2 3 4 5 6 7 8 9 10 11 12(시)

1 2 3 4 5 6 7 8 9 10 11 12(시)

( )

3 예슬이는 저녁 10시부터 잠을 자기 시작하여 다음날 아침 6시에 잠에서 깼습니다. 예슬이가 잠을 잔 시간은 몇 시간인지 구하시오.

( )

4 다음은 어느 달의 달력입니다. 달력을 보고 ☐ 안에 알맞은 수를 써넣으시오.

일	월	화	수	목	금	토
			1	2	3	4
5	6	7	8	9	10	11
12	13	14	15	16	17	18
19	20	21	22	23	24	25
26	27	28	29	30	31	

(1) 1일은 ☐ 요일입니다.

(2) 셋째 금요일은 ☐ 일입니다.

(3) 일요일은 5일, ☐ 일, ☐ 일, ☐ 일입니다.

(4) 1주일은 ☐ 일입니다.

(5) 둘째 목요일부터 ☐ 일 후는 셋째 목요일입니다.

5 ☐ 안에 알맞은 수를 써넣으시오.

(1) 12개월은 ☐ 년이고, 24개월은 ☐ 년입니다.

(2) 18개월은 ☐ 년 ☐ 개월입니다.

(3) 20개월은 ☐ 년 ☐ 개월입니다.

(4) 날수가 28일 또는 29일인 달은 ☐ 월입니다.

1 ☐ 안에 알맞은 수를 써넣으시오.

전날 밤 ☐ 시부터 낮 ☐ 시까지를 오전이라 하고,
낮 ☐ 시부터 밤 ☐ 시까지를 오후라고 합니다.

2 색칠한 부분은 상윤이가 등교한 시각과 일과를 마치고 집으로 돌아온 시각을 나타낸 것입니다. 상윤이가 등교하여 다시 집으로 돌아오기까지 걸린 시간은 몇 시간입니까?

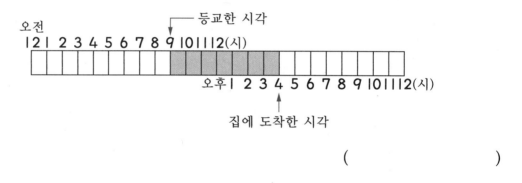

(   )

3 재영이는 오전 6시에 일어나서 오후 10시에 잠자리에 들었습니다. 재영이가 깨어 있었던 시간을 색칠하고, 몇 시간인지 구하시오.

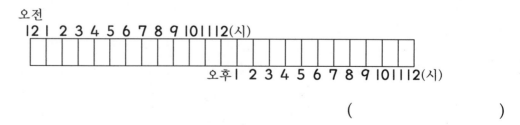

(   )

4 터미널에서 버스가 40분마다 출발합니다. 오늘 오전 6시 45분에 첫 번째 버스가 출발한다면 세 번째 버스는 오전 몇 시 몇 분에 출발합니까?

(   )

5 동민이가 아침에 일어난 시각과 저녁에 잠자리에 든 시각을 나타낸 것입니다. 동민이가 아침에 일어나서 저녁에 잠자리에 들기까지 걸린 시간을 알아보시오.

일어난 시각   잠자리에 든 시각

(1) 일어난 시각은 오전 ☐ 시입니다.

(2) 잠자리에 든 시각은 오후 ☐ 시입니다.

(3) 동민이가 아침에 일어나서 저녁에 잠자리에 들기까지 걸린 시간은 ☐ 시간입니다.

6 웅이는 토요일에 부모님과 함께 오전 10시에 등산을 시작하여 오후 2시에 등산을 마쳤습니다. 웅이가 부모님과 함께 등산을 한 시간은 몇 시간입니까?

(   )

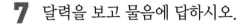

7 달력을 보고 물음에 답하시오.

일	월	화	수	목	금	토
			1	2	3	4
5	6	7	8	9	10	11
12	13	14	15	16	17	18
19	20	21	22	23	24	25
26	27	28	29	30	31	

(1) 이 달의 목요일인 날을 모두 쓰시오.

(   )

(2) 이 달의 **22**일은 무슨 요일입니까?

(   )

(3) **7**일에서 **2**주일 후는 며칠이고, 무슨 요일입니까?

(   ), (   )

(4) **29**일에서 **3**일 전은 무슨 요일입니까?

(   )

8 ☐ 안에 알맞은 수를 써넣으시오.

(1) ☐ 주일은 **7**일입니다.

(2) **3**주일 **4**일은 모두 ☐ 일입니다.

(3) ☐ 년은 **12**개월입니다.

(4) **17**개월은 ☐ 년 ☐ 개월입니다.

9 각 달의 날수를 조사하여 빈칸에 알맞은 수를 써넣으시오.

월	1	2	3	4	5	6	7	8	9	10	11	12
날수		28 (29)				30	31					

82 | 2학년이 꼭 알아야 할 도형 |

10 어느 해 8월의 달력입니다. 금요일인 날을 모두 쓰시오.

일	월	화	수	목	금	토
			1	2	3	4
5	6	7	8	9	10	11
			15	16		

(   )

11 달력을 보고 물음에 답하시오.

일	월	화	수	목	금	토
				1	2	3
4	5	6	7	8	9	10

(1) 이 달의 넷째 월요일은 며칠입니까?

(   )

(2) 4일에서 12일 후는 며칠이고, 무슨 요일입니까?

(   ), (   )

12 영수는 매주 토요일에 방 청소를 합니다. 7월 3일이 토요일이면, 7월에는 방 청소를 모두 몇 번 할 수 있는지 설명하시오.

----

1 석기는 하루에 8시간은 자고, 6시간은 학교에서 수업을 듣습니다. 그 밖의 시간은 자유 시간을 보낸다면, 석기가 하루에 갖는 자유 시간은 몇 시간입니까?

(   )

2 축구경기가 오후 5시에 시작하여 128분 후에 끝났습니다. 축구경기가 끝난 시각은 오후 몇 시 몇 분입니까?

(   )

3 상연이의 시계는 1시간에 1분씩 빨라집니다. 상연이가 오전 10시에 정확히 시계를 맞추었다면, 오후 10시에 시계는 몇 시 몇 분을 가리키겠습니까?

(   )

💡 다음은 어느 해 5월 달력의 일부분입니다. 물음에 답하시오. [4~7]

일	월	화	수	목	금	토
			1	2	3	4
	6	7			10	11

4 일요일인 날을 모두 쓰시오.

(   )

5 다섯째 목요일은 며칠입니까?

(   )

6 4일부터 3주일 후는 며칠입니까?

(   )

7 6월 6일은 무슨 요일입니까?

(   )

8 3월 3일부터 40일 후는 몇 월 며칠입니까?

(   )

9 영수는 경주로 현장학습을 다녀왔습니다. 집에서 출발한 날은 6월 17일 오전 10시이고 집에 돌아온 날은 6월 19일 오후 3시입니다. 영수가 현장학습을 다녀오는 데 걸린 시간은 모두 몇 시간입니까?

(   )

10 어느 해의 4월 5일이 토요일이라면 같은 해 6월 6일은 무슨 요일입니까?

(   )

11 어제는 목요일이었습니다. 오늘부터 15일 후는 무슨 요일이겠습니까?

(   )

12 예슬이는 7월 16일에 큰댁에 도착하여 2주일 4일 동안 머물렀습니다. 예슬이는 몇 월 며칠까지 큰댁에 머물렀습니까?

(   )

13 가영이가 달력을 보니 2월 5일은 금요일이고, 3월 5일은 토요일이었습니다. 이 해의 2월의 날수는 며칠입니까?

(   )

금메달 따기

1 오른쪽과 같이 찢어진 달력이 있습니다. 이 달의 넷째 수요일은 며칠입니까?

목	금
3	4
10	11

( )

2 두 사람의 대화를 보고 가영이와 태준이 중 <u>틀리게</u> 말한 사람을 찾고, 틀린 이유를 설명하시오.

오늘 날짜	동민이의 생일
6월 2일 수요일	6월 25일

가영 내 생일은 동민이 생일의 4일 전이니까 월요일이네.

태준 내 생일은 동민이 생일의 8일 후니까 월요일이네.

3 3월 15일은 화요일입니다. 5월의 토요일의 모든 날짜의 합을 구해 보시오.

( )

4 다음 설명을 읽고 영수의 생일은 언제인지 알아보시오.

> • 석기의 생일은 11월 3일입니다.
> • 지혜는 석기보다 일주일 먼저 태어났습니다.
> • 영수는 지혜보다 96시간 후에 태어났습니다.

(   )

10월은 31일까지 있습니다.

5 서울에서 광주까지 가는 첫차는 오전 6시 30분에 출발하고, 50분 간격으로 운행됩니다. 오전 중에 서울에서 광주로 출발하는 버스는 몇 대입니까?

(   )

낮 12시 전까지 몇 대의 차가 출발하는지 알아봅니다.

6 상연이의 시계는 하루에 1분씩 빨라집니다. 상연이가 3월 1일 오전 10시에 정확히 맞추었다면 5월 5일 오전 10시에 이 시계는 몇 시 몇 분을 가리키겠습니까?

(   )

시간이 빨라지면 시계의 바늘은 정확한 시계보다 더 많이 돌아갑니다.

개념 확인

1. 사각형의 개수 세기

· 다음 도형에서 찾을 수 있는 사각형의 개수는 다음과 같습니다.

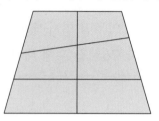

① 1칸으로 이루어진 사각형의 개수는 6개입니다.
② 2칸으로 이루어진 사각형의 개수는 7개입니다.
③ 3칸으로 이루어진 사각형의 개수는 2개입니다.
④ 4칸으로 이루어진 사각형의 개수는 2개입니다.
⑤ 6칸으로 이루어진 사각형의 개수는 1개입니다.
따라서 사각형은 모두 6+7+2+2+1=18(개) 찾을 수 있습니다.

2. 삼각형의 개수 세기

· 다음 도형에서 찾을 수 있는 삼각형의 개수는 다음과 같습니다.

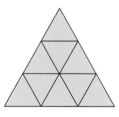

① 1칸으로 이루어진 삼각형 ➡ △ 모양 → 6개, ▽ 모양 → 3개

② 4칸으로 이루어진 삼각형 ➡ 모양 → 3개

③ 9칸으로 이루어진 삼각형 ➡ 모양 → 1개

따라서 삼각형은 모두 6+3+3+1=13(개) 찾을 수 있습니다.

1 다음 도형에서 찾을 수 있는 사각형은 모두 몇 개인지 구하시오.

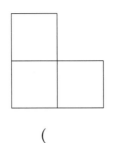

(   )

2 다음 도형에서 찾을 수 있는 사각형은 모두 몇 개인지 구하시오.

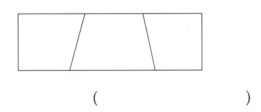

(   )

3 다음 도형에서 찾을 수 있는 사각형은 모두 몇 개인지 구하시오.

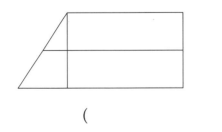

(   )

4 다음 도형에서 찾을 수 있는 삼각형은 모두 몇 개인지 구하시오.

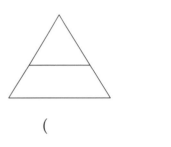

(   )

5 다음 도형에서 찾을 수 있는 삼각형은 모두 몇 개인지 구하시오.

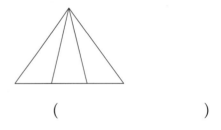

(   )

6 다음 도형에서 찾을 수 있는 삼각형은 모두 몇 개인지 구하시오.

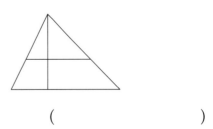

(   )

1 다음 도형에서 찾을 수 있는 사각형은 모두 몇 개인지 구하시오.

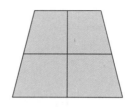

(   )

2 다음 도형에서 2칸으로 이루어진 사각형은 모두 몇 개인지 구하시오.

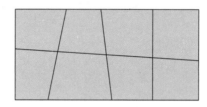

(   )

3 다음 도형에서 3칸으로 이루어진 사각형은 모두 몇 개인지 구하시오.

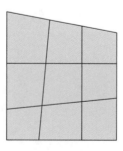

(   )

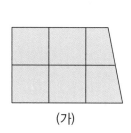

(가)

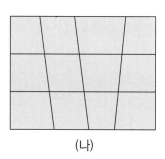

(나)

4 도형 (가)에서 2칸으로 이루어진 사각형은 모두 몇 개입니까?

(   )

5 도형 (나)에서 4칸으로 이루어진 사각형은 모두 몇 개입니까?

(   )

6 도형 (나)에서 3칸으로 이루어진 사각형은 도형 (가)에서 3칸으로 이루어진 사각형의 개수보다 몇 개 더 많습니까?

(   )

7 다음 도형에서 찾을 수 있는 삼각형은 모두 몇 개인지 구하시오.

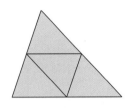

(   )

8 다음 도형에서 작은 삼각형 4개로 이루어진 삼각형은 모두 몇 개인지 구하시오.

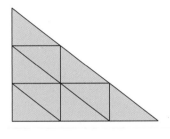

(   )

9 다음 도형에서 찾을 수 있는 삼각형은 모두 몇 개인지 구하시오.

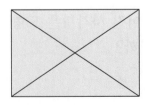

(   )

💡 도형을 보고 물음에 답하시오. [10~13]

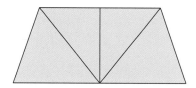

10 찾을 수 있는 삼각형은 모두 몇 개입니까?

(   )

11 2칸으로 이루어진 사각형은 모두 몇 개입니까?

(   )

12 3칸으로 이루어진 사각형은 모두 몇 개입니까?

(   )

13 찾을 수 있는 사각형은 모두 몇 개입니까?

(   )

💡 그림을 보고 물음에 답하시오. [1~4]

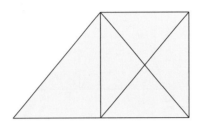

1 2칸으로 이루어진 삼각형은 모두 몇 개입니까?

(   )

2 3칸으로 이루어진 삼각형은 몇 개입니까?

(   )

3 찾을 수 있는 삼각형은 모두 몇 개입니까?

(   )

4 찾을 수 있는 사각형은 모두 몇 개입니까?

(   )

💡 그림을 보고 물음에 답하시오. [5~7]

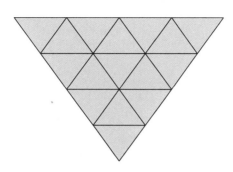

5 9칸으로 이루어진 삼각형은 모두 몇 개입니까?

(   )

6 4칸으로 이루어진 삼각형은 모두 몇 개입니까?

(   )

7 찾을 수 있는 삼각형은 모두 몇 개입니까?

(   )

8 다음 도형에서 ♡를 포함하는 직사각형을 모두 몇 개 찾을 수 있는지 구하시오.

(   )

💡 그림을 보고 물음에 답하시오. [9~12]

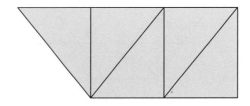

9 3칸으로 이루어진 사각형은 모두 몇 개입니까?

(   )

10 4칸으로 이루어진 사각형은 모두 몇 개입니까?

(   )

11 5칸으로 이루어진 사각형은 몇 개입니까?

(   )

12 찾을 수 있는 사각형의 개수는 찾을 수 있는 삼각형의 개수보다 몇 개 더 많습니까?

(   )

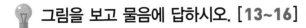

💡 **그림을 보고 물음에 답하시오. [13~16]**

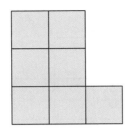

13 2칸으로 이루어진 사각형은 모두 몇 개입니까?

(   )

14 3칸으로 이루어진 사각형은 모두 몇 개입니까?

(   )

15 4칸으로 이루어진 사각형은 모두 몇 개입니까?

(   )

16 찾을 수 있는 사각형은 모두 몇 개입니까?

(   )

금메달 따기

1 그림에서 찾을 수 있는 크고 작은 사각형 중에서 ♥를 포함한 사각형은 모두 몇 개입니까?

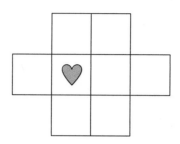

(   )

> 가로 방향과 세로 방향으로 기준을 정하여 빠뜨리지 않고 세어 봅니다.

💡 도형을 보고 물음에 답하시오. [2~3]

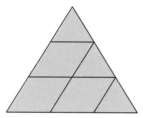

2 2칸으로 이루어진 사각형은 모두 몇 개입니까?

(   )

3 찾을 수 있는 사각형은 모두 몇 개입니까?

(   )

> 1칸짜리, 2칸짜리, 3칸짜리, 5칸짜리 사각형을 찾을 수 있습니다.

도형을 보고 물음에 답하시오. [4~7]

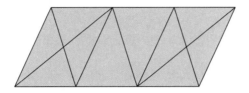

4 찾을 수 있는 삼각형은 모두 몇 개입니까?

(   )

1칸짜리, 2칸짜리, 3칸짜리 삼각형을 찾을수 있습니다.

5 4칸으로 이루어진 사각형은 모두 몇 개입니까?

(   )

각 칸마다 기호를 써 놓고 찾아 봅니다.

6 6칸으로 이루어진 사각형은 모두 몇 개입니까?

(   )

7 8칸으로 이루어진 사각형은 모두 몇 개입니까?

(   )

개념 확인

🌸 **도형의 규칙을 찾아 문제 해결하기**

┌─ **예제 1** ─┐

다음과 같이 도형을 규칙적으로 늘어놓았습니다. 빈 곳에 알맞은 도형을 그려 넣으시오.

풀이 삼각형, 원, 사각형을 어떤 규칙에 따라 늘어놓고 있는지 파악합니다.
도형들은 다음과 같은 규칙으로 늘어놓아져 있습니다.

즉, 5개의 도형이 반복되는 것을 알 수 있으므로 빈 곳에 들어갈 알맞은 도형은 ○ 입니다.

┌─ **예제 2** ─┐

성냥개비를 사용하여 다음 그림과 같이 사각형을 만들어 갑니다. 사각형 6개를 만드는 데 필요한 성냥개비의 개수를 구하시오.

풀이 • 사각형을 1개 만들 때 필요한 성냥개비의 개수 :  ➡ 4개

• 사각형을 2개 만들 때 필요한 성냥개비의 개수 : 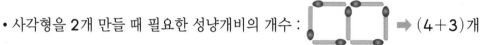 ➡ (4+3)개

• 사각형을 3개 만들 때 필요한 성냥개비의 개수 : 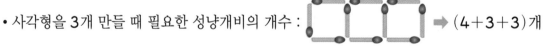 ➡ (4+3+3)개

위와 같은 방법으로 생각하면 사각형을 6개 만들 때 필요한 성냥개비의 개수는
4+3+3+3+3+3=19(개)입니다.
또는 (필요한 성냥개비의 개수)=(사각형의 개수)×3+1로 생각하여 구할 수 있습니다.
즉, (필요한 성냥개비의 개수)=6×3+1=19(개)입니다.

1 그림과 같이 반복되는 도형을 찾아 ○로 묶어 보시오.

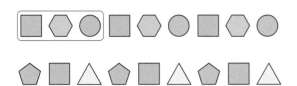

2 규칙을 찾아 ☐ 안에 알맞은 수를 써넣으시오.

☐ 모양 ☐개와 △ 모양 ☐개가 반복되는 규칙입니다.

3 규칙에 따라 빈 곳에 알맞은 도형을 그려 보시오.

4 성냥개비를 사용하여 다음 그림과 같이 사각형 2개를 만들 때 사용한 성냥개비의 개수를 구하시오.

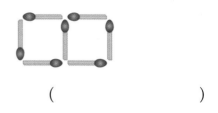

(   )

5 성냥개비를 사용하여 다음 그림과 같이 사각형 3개를 만들 때 사용한 성냥개비의 개수를 구하시오.

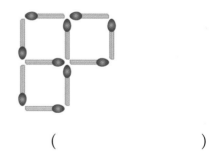

(   )

6 성냥개비를 사용하여 다음 그림과 같이 사각형 4개를 만들 때 사용한 성냥개비의 개수를 구하시오.

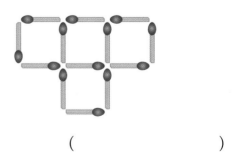

(   )

💡 다음과 같이 도형을 규칙적으로 늘어놓았습니다. 물음에 답하시오. [1~4]

1 규칙적으로 반복되는 부분을 찾아 그려 보시오.

(   )

2 14번째에 올 도형을 그려 보시오.

(   )

3 20번째에 올 도형을 그려 보시오.

(   )

4 16번째까지의 도형 중 원은 모두 몇 개인지 구하시오.

(   )

다음과 같이 도형을 규칙적으로 늘어놓았습니다. 물음에 답하시오. [5~7]

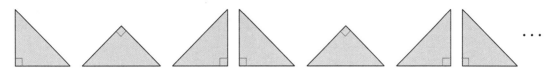

5 10번째에 올 도형을 그려 보시오.

( )

6 15번째에 올 도형을 그려 보시오.

( )

7 세 번째에 있는 도형과 똑같은 도형이 모두 4개가 되려면 도형을 적어도 몇 개를 늘어놓아야 하는지 구하시오.

( )

💡 다음과 같이 도형을 규칙적으로 늘어놓았습니다. 물음에 답하시오. [8~10]

8 12번째에 올 도형을 그려 보시오.

(   )

9 18번째에 올 도형을 그려 보시오.

(   )

10 네 번째에 있는 도형과 똑같은 도형이 8개가 되려면 도형을 적어도 몇 개를 늘어놓아야 하는지 구하시오.

(   )

💡 성냥개비를 사용하여 다음 그림과 같이 사각형을 만들어 갑니다. 물음에 답하시오.

[11~13]

11 같은 모양의 사각형을 5개 만드는 데 필요한 성냥개비의 개수를 구하시오.

( )

12 같은 모양의 사각형을 10개 만드는 데 필요한 성냥개비의 개수를 구하시오.

( )

13 사용한 성냥개비가 22개일 때 같은 모양의 사각형은 몇 개가 만들어지는지 구하시오.

( )

1 규칙에 따라 도형을 늘어놓았습니다. 30번째에 놓일 도형의 이름을 쓰시오.

(   )

2 다음과 같은 방법으로 삼각형 10개를 만들기 위해서는 성냥개비가 몇 개 있어야 하는지 구해 보시오.

(   )

3 성냥개비로 다음과 같은 모양을 만들어 갈 때 다섯 번째 모양을 만들려면 성냥개비는 몇 개가 있어야 하는지 구해 보시오.

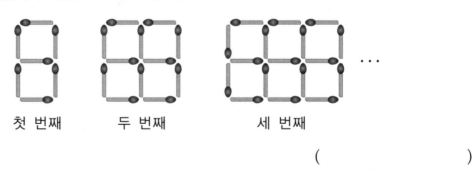

첫 번째   두 번째   세 번째

(   )

흰색과 검은색 두 종류의 삼각형 종이를 다음 그림과 같이 규칙적으로 늘어놓았습니다. 물음에 답하시오. [4~6]

<table>
<tr><td>첫 번째</td><td>두 번째</td><td>세 번째</td><td>네 번째</td></tr>
</table>

4 다섯 번째에 올 그림에서 검은색 삼각형 종이는 몇 장인지 구하시오.

(   )

5 일곱 번째에 올 그림에서 흰색 삼각형 종이는 몇 장인지 구하시오.

(   )

6 열 번째에 올 그림에서 흰색 삼각형 종이와 검은색 삼각형 종이의 차는 몇 장인지 구하시오.

(   )

💡 다음과 같이 같은 크기의 쌓기나무를 쌓아올립니다. 아래 그림의 경우는 10개의 쌓기 나무를 사용하여 3층까지 쌓아올린 것입니다. 물음에 답하시오. [7~9]

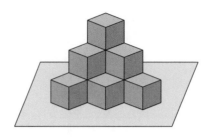

7 4층까지 쌓아올리는 데 필요한 쌓기나무의 개수를 구하시오.

(   )

8 7층까지 쌓아올리는 데 필요한 쌓기나무의 개수를 규칙을 찾아 구하려고 합니다. 빈 곳에 알맞은 수를 쓰고 필요한 쌓기나무 전체의 개수를 구하시오.

층수(층)	7	6	5	4	3	2	1
필요한 쌓기나무의 개수(개)	1	3	6	10			

+2   +3   +4

(   )

9 9층까지 쌓아올리는 데 필요한 쌓기나무 전체의 개수를 구하시오.

(   )

💡 크기가 같은 사각형 모양의 종이를 다음과 같이 맨 위층이 3장이 되도록 규칙적으로 늘어놓았습니다. 물음에 답하시오. [10~12]

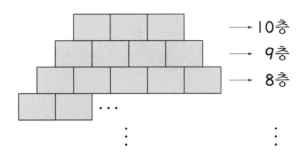

10 10층부터 1층까지 늘어놓았을 때 사용된 종이는 모두 몇 장인지 구하시오.

(   )

11 사용된 사각형 모양의 종이가 33장일 때는 몇 층까지 늘어놓았을 때인지 구하시오.

(   )

12 5층에 놓인 사각형 모양의 종이가 7장이라면 사각형 모양의 종이를 몇 층까지 늘어놓은 것인지 구하시오.

(   )

생각의 샘

다음과 같은 방법으로 성냥개비를 늘어놓아 삼각형을 만들어 갑니다. 물음에 답하시오. [1~3]

...

삼각형의 개수와 필요한 성냥개비의 개수와의 관계를 살펴 봅니다.

1 삼각형 20개를 만들기 위해서는 성냥개비가 몇 개 필요한지 구하시오.

삼각형의 개수(개)	1	2	3	4	...
성냥개비의 개수(개)	3	5	7	9	...

(   )

2 삼각형 100개를 만들기 위해서는 성냥개비가 몇 개 필요한지 구하시오.

(   )

3 성냥개비 22개로 삼각형을 몇 개까지 만들 수 있는지 구하시오.

(   )

💡 5개의 선분으로 둘러싸인 도형을 오각형이라고 합니다. 성냥개비를 사용하여 다음과 같이 오각형을 만들어 갑니다. 물음에 답하시오.

[4~6]

(필요한 성냥개비의 개수)=(오각형의 개수)×4+1

4 오각형 10개를 만들기 위해서는 성냥개비가 몇 개 필요한지 구하시오.

오각형의 개수(개)	1	2	3	4	...
성냥개비의 개수(개)	5	9	13	17	...

(   )

5 오각형 100개를 만들기 위해서는 성냥개비가 몇 개 필요한지 구하시오.

(   )

6 성냥개비 83개로 오각형을 몇 개까지 만들 수 있는지 구하시오.

(   )

맞은 개수	20~18	17~16	15~14	13~
평 가	최우수	우수	보통	노력요함

1 시계를 보고 □ 안에 알맞은 수를 써넣으시오.

시계의 짧은바늘은 숫자 □ 과 □ 사이에 있고, 긴바늘은 숫자 □ 를 가리킵니다.

시계가 나타내는 시각은 □ 시 □ 분입니다.

2 시각을 읽어 보시오.

□ 시 □ 분

3 시각에 맞게 긴바늘을 그려 넣으시오.

(1) 3시 35분   (2) 11시 24분

4 재련이가 숙제를 시작한 시각과 숙제를 끝낸 시각을 나타낸 것입니다. 재련이가 숙제를 하는 데 걸린 시간은 몇 분입니까?

숙제를 시작한 시각   숙제를 끝낸 시각

( )

5 상연이가 산에 오르기 시작한 시각과 정상에 오른 시각을 나타낸 것입니다. 상연이가 정상에 오르는 데 걸린 시간은 몇 시간입니까?

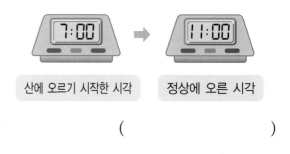

산에 오르기 시작한 시각   정상에 오른 시각

( )

6 그림을 보고 일어나서 잠자리에 들기까지 걸린 시간을 구하시오.

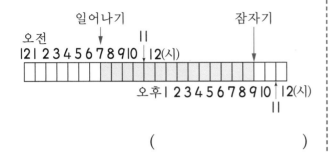

(   )

7 지연이는 어제 오전 8시부터 오늘 오전 10시까지 할머니 댁에 있었습니다. 할머니 댁에 있던 시간은 몇 시간입니까?

(   )

8 ☐ 안에 알맞은 수를 써넣으시오.

(1) 26일 = ☐ 주일 ☐ 일

(2) 3년 7개월 = ☐ 개월

9 다음은 어느 해 4월의 날짜입니다. 같은 요일이 <u>아닌</u> 것은 어느 것입니까?

(   )

① 3일   ② 9일   ③ 16일
④ 23일   ⑤ 30일

10 어느 해 3월의 달력입니다. 물음에 답하시오.

일	월	화	수	목	금	토
					1	2
3	4	5	6	7	8	9
10	11	12	13	14	15	16
17	18	19	20	21	22	23
24	25	26	27	28	29	30
31						

(1) 이 달의 화요일인 날을 모두 쓰시오.

(   )

(2) 이 해의 4월 9일은 무슨 요일입니까?

(   )

11 다음 도형에서 찾을 수 있는 사각형은 모두 몇 개인지 구하시오.

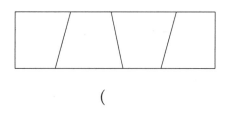

(   )

12 다음 도형에서 찾을 수 있는 사각형은 모두 몇 개인지 구하시오.

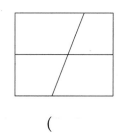

(   )

13 다음 도형에서 찾을 수 있는 삼각형은 모두 몇 개인지 구하시오.

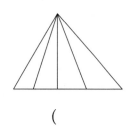

(   )

14 다음 도형에서 ♥ 무늬를 포함한 사각형은 모두 몇 개인지 알아보시오.

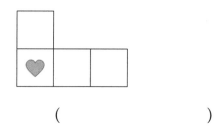

(   )

15 다음 도형에서 찾을 수 있는 삼각형은 모두 몇 개인지 구하시오.

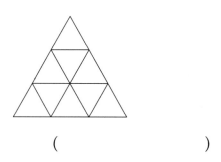

(   )

16 규칙에 따라 □ 안에 들어갈 도형의 이름을 쓰시오.

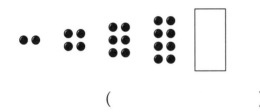

(   )

17 규칙에 따라 □ 안에 들어갈 바둑돌의 개수를 구하시오.

(   )

18 다음과 같이 규칙에 따라 ◯ 를 그릴 때, 여섯 번째에는 몇 개의 ◯ 가 그려지겠습니까?

첫 번째   두 번째   세 번째   네 번째

(   )

19 다음과 같이 성냥개비를 늘어놓아 삼각형을 만들어 갈 때 성냥개비 11개로는 삼각형을 몇 개까지 만들 수 있는지 구하시오.

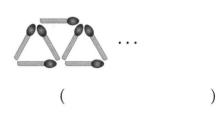

(   )

20 성냥개비를 사용하여 다음과 같은 모양을 만들 때 성냥개비는 몇 개가 있어야 하는지 구하시오.

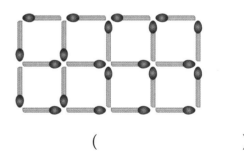

(   )

예은이와 어머니가 함께 여러 가지 모양의 쿠기를 만들었습니다. 예은이 어머니께서 말씀하셨습니다.

"예은아, 여러 가지 모양의 쿠키를 같은 모양의 접시에 나누어 담은 후에 먹으면 어떨까?"

"좋아요, 재미있을 것 같아요."

예은이는 접시 모양을 보고 쿠키를 나누어 담았습니다.

"쿠키를 모양에 따라 잘 나누어 담았네. 그럼 쿠키를 담은 접시의 모양을 뭐라고 부르면 좋을까?"

"음… 잘 모르겠어요."

"그럼 쿠키 먹으면서 엄마랑 함께 생각해 볼까?"

"네, 좋아요!"

🔹 예은이가 쿠키를 담은 접시 모양의 이름을 알아볼까요?

꼭 V ..... 알아야 한

도형

2학년이 꼭 ✓ 알아야 한

도형

정답과 풀이

(주)에듀왕
www.왕수학.com

정답과 풀이

2 학년

1. 원, 삼각형, 사각형 알아보기

개념익히기
page. 5

1. 원

2. ②, ④

3. (1) 3개 (2) 삼각형

4. 변, 꼭짓점, 변

5. (1) 4개 (2) 사각형

6. 풀이 참조

3. 3개의 곧은 선으로 둘러싸인 도형을 삼각형이라고 합니다.

5. 4개의 곧은 선으로 둘러싸인 도형을 사각형이라고 합니다.

6. (1)

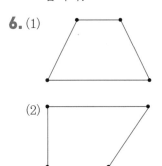

(2)

돋메달따기
page. 6-9

1. 가, 사

2. (1) 삼각형 (2) 사각형

3. 꼭짓점, 변 **4.** 4개

5. 3개 **6.** 삼각형, 사각형

7. ㉡

8. (1) 나, 라, 마 (2) 가, 다

9. 8개 **10.** 풀이 참조

11. 삼각형과 사각형 **12.** 6개

1. 원은 굽은 선으로만 둘러싸여 있습니다.

4. 사각형은 변이 4개, 꼭짓점이 4개 있습니다.

5. 삼각형은 변이 3개, 꼭짓점이 3개 있습니다.

7. 곧은 선과 뾰족한 점이 없는 도형은 원입니다.

8. (1) 삼각형은 3개의 변으로 둘러싸인 도형이므로 나, 라, 마입니다.

   (2) 사각형은 4개의 변으로 둘러싸인 도형이므로 가, 다입니다.

9. 사각형에는 4개의 변과 4개의 꼭짓점이 있습니다.
   따라서 4+4=8(개)입니다.

10. 예

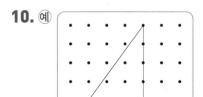

11. 꼭짓점 ㄱ과 꼭짓점 ㄴ을 곧은 선으로 이으면 3개의 곧은 선으로 둘러싸인 도형과 4개의 곧은 선으로 둘러싸인 도형으로 나누어집니다.

12. 삼각형 1개에는 꼭짓점이 3개 있으므로 삼각형 2개의 꼭짓점의 개수의 합은 3+3=6(개)입니다.

은메달따기
page. 10-13

1. 사각형이 아닙니다.

   예 4개의 곧은 선으로 둘러싸여 있지 않기 때문입니다.

2. 삼각형 **3.** 사각형, 2개

4. ㉣ 원의 모양은 모두 같지만 크기는 모두 같지 않습니다.

5. 4개 **6.** ㉡, ㉣

7. 21개 **8.** 2개, 1개

9. 풀이 참조, 7, 8, 4 **10.** 24개

11. 7개 **12.** 삼각형, 1개

3. 점선을 따라 자르면 삼각형이 4개, 사각형이 6개 생깁니다.
따라서 사각형이 삼각형보다 6−4=2(개) 더 많이 생깁니다.

5.

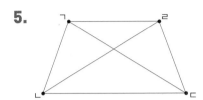

삼각형 ㄱㄴㄷ, 삼각형 ㄴㄷㄹ, 삼각형 ㄷㄹㄱ, 삼각형 ㄹㄱㄴ으로 4개를 만들 수 있습니다.

6. ㉠ 원 1개, 삼각형 3개
㉡ 사각형 1개, 삼각형 3개
㉢ 사각형 3개, 삼각형 1개
㉣ 사각형 1개, 삼각형 3개

7. 삼각형 1개의 꼭짓점은 3개이므로 삼각형 3개의 꼭짓점은 3×3=9(개),
사각형 1개의 꼭짓점은 4개이므로 사각형 3개의 꼭짓점은 4×3=12(개)입니다.
따라서 꼭짓점의 개수의 합은 9+12=21(개)입니다.

8. 삼각형과 사각형의 개수를 예상하여 봅니다.
삼각형이 1개, 사각형이 1개일 때
변의 개수는 3+4=7(개)
삼각형이 2개, 사각형이 1개일 때
변의 개수는 3×2+4=10(개)
따라서 삼각형은 2개, 사각형은 1개입니다.

9.

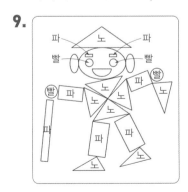

10. 삼각형이 4개, 사각형이 3개 생깁니다.
따라서 3×4+4×3=24(개)입니다.

11. 가장 많이 사용한 도형 : 원 (10개)

가장 적게 사용한 도형 : 삼각형 (3개)
➡ 10−3=7(개)

12. 사각형 : 8개, 삼각형 : 9개
따라서 삼각형이 9−8=1(개) 더 많이 생깁니다.

page. 14~15

1. 2개	**2.** 5개
3. 16개	**4.** 2개
5. 3가지	**6.** 8가지

1. 사각형 3개의 꼭짓점은 4×3=12(개)이므로 삼각형 몇 개의 꼭짓점은 12−6=6(개)입니다.
따라서 6=3+3이므로 삼각형은 2개입니다.

2. 사각형 ㄱㄴㄷㄹ, 사각형 ㄱㄴㄹㅁ, 사각형 ㄴㄷㄹㅁ, 사각형 ㄴㄷㅁㄱ, 사각형 ㄷㄹㅁㄱ으로 모두 5개입니다.

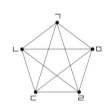

3. 1번 접었을 때 ➡ 1+1=2(개)
2번 접었을 때 ➡ 2+2=4(개)
3번 접었을 때 ➡ 4+4=8(개)
4번 접었을 때 ➡ 8+8=16(개)

4. 주어진 도형의 변의 개수의 합은 5×3=15(개)이므로 사각형의 변의 개수의 합은 23−15=8(개)입니다.
따라서 사각형은 2개입니다.

5. 4개의 삼각형을 붙인 테트리아몬드는 다음과 같이 3가지입니다.

6.

  ➡ 8가지

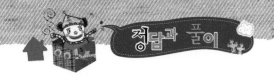

2. 칠교판, 오각형, 육각형 알아보기

개념익히기
page. **17**

1. 7, 5, 2
2. 풀이 참조

3. 5, 5 / 6, 6
4. 1개

5. ⑤
6. 풀이 참조

2. 삼각형 예   사각형 예

세 조각의 길이가 같은 변끼리 붙여 여러 가지 모양의 삼각형과 사각형을 만들어 봅니다.

4. 오각형은 3개이고, 육각형은 2개입니다.
따라서 오각형이 육각형보다 3−2=1(개) 더 많습니다.

5. ① 0개 ② 3개 ③ 4개 ④ 5개 ⑤ 6개
➡ 육각형의 변의 수가 가장 많습니다.

6.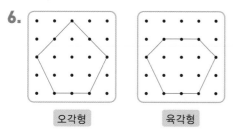

변이 5개가 되도록 점 5개를 곧은 선으로 이어 오각형을 그리고, 변이 6개가 되도록 점 6개를 곧은 선으로 이어 육각형을 그립니다.

2.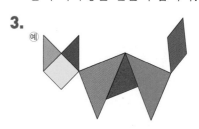

칠교판의 삼각형 세 조각을 길이가 같은 변끼리 붙여 사각형을 만들어 봅니다.

3. 예

6. 야구장의 홈 플레이트는 변이 5개인 도형과 같은 모양이므로 오각형입니다.

7. 꼭짓점의 수는 다음과 같습니다.
㉠ – 5개, ㉡ – 4개, ㉢ – 3개, ㉣ – 6개,
㉤ – 8개
따라서 꼭짓점의 수가 가장 많은 도형은 ㉤입니다.

10. 변의 수를 살펴보면 가 – 4개, 나 – 3개,
다 – 6개, 라 – 5개입니다.
따라서 변의 수가 가장 많은 도형과 가장 적은 도형의 차는 6−3=3(개)입니다.

12. 점선을 따라 자르면 변이 3개인 도형과 변이 5개인 도형이 생기므로 3+5=8(개)입니다.

동매달따기
page. **18~21**

1. 2
2. 풀이 참조

3. 풀이 참조
4. 나, 라

5. 나, 마
6. 오각형

7. ㉤
8. ②

9. 2
10. 3개

11. 2개
12. 8개

음매달따기
page. **22-23**

1. 풀이 참조
2. 풀이 참조

3. 풀이 참조
4. 풀이 참조

5. 풀이 참조
6. 24개

1. 예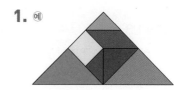

2.
(예)

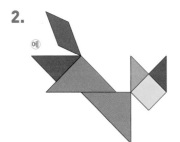

3. (예)

4. (예)

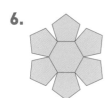

5. (예)

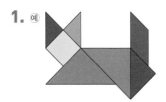

6.

$4+4+4+4+4+4=24$(개)

3. (예)

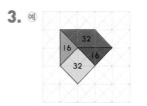

$32+16+16+32=96$

4. (예)

5. (예)

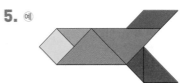

6. 도형 l개로 된 삼각형 : l4개
도형 2개로 된 삼각형 : 2개
도형 3개로 된 삼각형 : 8개
도형 4개로 된 삼각형 : 2개
도형 5개로 된 삼각형 : 4개
도형 6개로 된 삼각형 : 6개
도형 l0개로 된 삼각형 : 4개
➡ $14+2+8+2+4+6+4=40$(개)

금메달 따기 page. 24~25

1. 풀이 참조	**2.** l4개
3. 96	**4.** 풀이 참조
5. 풀이 참조	**6.** 40개

1. (예)

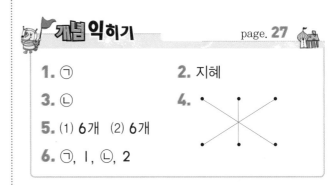

2. 작은 삼각형 6개로 만든 육각형 :
$1+2+7+2+1=13$(개)
작은 삼각형 24개로 만든 육각형 : l개
➡ $13+1=14$(개)

---

3. 쌓기나무

개념 익히기 page. 27

1. ㉠	**2.** 지혜
3. ㉡	**4.** (그림)
5. (1) 6개 (2) 6개	
6. ㉠, l, ㉡, 2	

1. ㉠에 쌓기나무 l개를 더 쌓으면 석기
가 쌓은 모양은 웅이가 쌓은 모양과
똑같이 됩니다.

5. (1) l층에는 5개, 2층에는 l개가 있으므로 6개
로 쌓은 모양입니다.

(2) I층에는 5개, 2층에는 I개가 있으므로 6개로 쌓은 모양입니다.

6. ㉠에 쌓기나무 I개, ㉡에 쌓기나무 2개를 쌓으면 왼쪽과 같아집니다.

동메달따기 page. 28-31

1. ⑤	**2.** ③, ⑤
3. ②	**4.** ③
5. 2개	**6.** 4개
7. 풀이 참조	**8.** 풀이 참조
9. 풀이 참조	**10.** (1) 2, 2, I (2) 5
11. 6개	**12.** 6개

1. ⑤에 빗금 친 쌓기나무 한 개를 더 놓아야 합니다.

2. ③과 ⑤에 빗금 친 쌓기나무를 한 개씩 더 놓으면 주어진 모양과 같은 모양이 됩니다.

3. ① 4개 ② 3개 ③ 4개 ④ 2개

4. ① 6개 ② 6개 ③ 5개 ④ 6개 ⑤ 6개

5. 오른쪽 모양에 왼쪽과 같이 빗금 친 쌓기나무를 더 쌓아야 주어진 모양과 같아집니다.
따라서 더 필요한 쌓기나무는 2개입니다.

6. ➡ 4개
(옆)

7.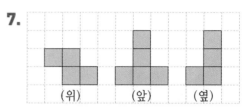
(위)   (앞)   (옆)

8.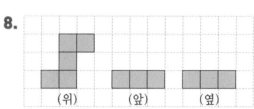
(위)   (앞)   (옆)

9.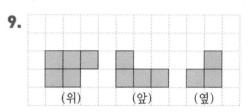
(위)   (앞)   (옆)

11. I층에 4개, 2층에 2개의 쌓기나무가 있으므로 모두 4+2=6(개)의 쌓기나무로 쌓은 것입니다.

12. I층에 4개, 2층에 I개, 3층에 I개의 쌓기나무가 있으므로 모두 4+I+I=6(개)의 쌓기나무로 쌓은 것입니다.

은메달따기 page. 32-35

1. 600개	**2.** I개
3. 한솔, 2개	**4.** 8개
5. 2개	**6.** 6개
7. 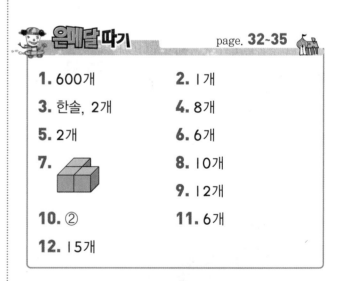	**8.** 10개
	9. 12개
10. ②	**11.** 6개
12. 15개	

1. 상자가 I층에 5개, 2층에 I개 쌓여 있으므로 모두 5+I=6(개)입니다.
따라서 귤은 모두
100+100+100+100+100+100
=600(개)입니다.

2. 위에서 보이는 면 : 5개, 앞에서 보이는 면 : 4개
➡ 5−4=1(개)

3. 예슬이는 1층에 4개, 2층에 2개, 3층에 1개이
므로 4+2+1=7(개),
한솔이는 1층에 7개, 2층에 2개이므로
7+2=9(개)입니다.
따라서 한솔이의 쌓기나무가 예슬이보다
9−7=2(개) 더 많습니다.

4. 사용될 쌓기나무는 1층에 7개, 2, 3, 4층에 각
각 1개씩이므로 7+3=10(개)입니다.
따라서 쌓고 남은 쌓기나무는 18−10=8(개)
입니다.

5.

따라서 앞에서 보이는 쌓기나무는 옆에서 보이
는 쌓기나무보다 6−4=2(개) 더 많습니다.

6. 쌓기나무로 쌓은 모양은 다음과 같습니다.

3층 ··· 1개
2층 ··· 1개
1층 ··· 4개

따라서 쌓기나무는 모두 4+1+1=6(개)
입니다.

7. 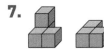 모양이 반복되는 규칙
입니다.

8. 쌓기나무가 위로 2개, 옆으로 1개씩 늘어나므
로 3개씩 늘어나는 규칙입니다.
첫 번째 : 1개 ⎫
두 번째 : 4개 ⎬ +3
세 번째 : 7개 ⎭ +3
따라서 네 번째 모양에는 7+3=10(개)의 쌓
기나무가 사용됩니다.

9. 1층에 놓이는 쌓기나무가 2개씩 늘어나는 규칙
입니다.
첫 번째 : 2개
두 번째 : 2+2=4(개)

여섯 번째 : 2+2+2+2+2+2=12(개)

10. 그림에서 보이지 않는 쌓기나무도 빠뜨리지 않
고 셉니다.
① 7개 ② 8개 ③ 7개 ④ 7개 ⑤ 7개

11. 지혜 : 7개, 용희 : 7개, 가영 : 8개
➡ 7+7−8=6(개)

12. 쌓기나무가 2개씩 많아지는 규칙입니다.
첫 번째는 1개, 두 번째는 1+2=3(개),
세 번째는 3+2=5(개),
네 번째는 5+2=7(개),
다섯 번째는 7+2=9(개),
여섯 번째는 9+2=11(개),
일곱 번째는 11+2=13(개),
여덟 번째는 13+2=15(개)입니다.

금메달따기   page. 36~37

1. 풀이 참조   **2.** 9개
3. 6개   **4.** 빨간색, 2개
5. 11개   **6.** 23개

1.

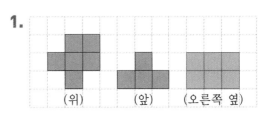

앞에서 본 모양을 참고하여 왼쪽
그림과 같이 위에서 본 모양의
바탕 위에 쌓을 수 있는 쌓기나
무의 수를 적어 보면 옆에서 본
모양을 그릴 수 있습니다.

2.

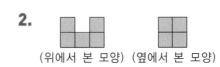

(위에서 본 모양) (옆에서 본 모양)

따라서 5+4=9(개)입니다.

3. 보이지 않는 쌓기나무를 빗금으로 나타내 보면 다음과 같습니다.

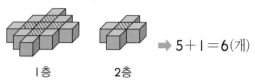

1층 2층 ➡ 5＋l＝6(개)

4.

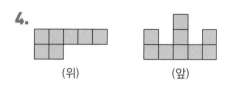

(위) (앞)

앞에서 보이는 면이 9－7＝2(개) 더 많으므로 빨간색 물감을 2개의 면에 더 많이 칠했습니다.

5. 가 나

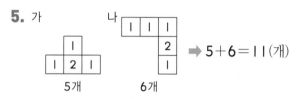

5개 6개 ➡ 5＋6＝ll(개)

6. 색칠해야 하는 면은
윗면 5개, 왼쪽 옆면 5개,
오른쪽 옆면 5개,
앞면 4개, 뒷면 4개입니다.
따라서 모두
5＋5＋5＋4＋4＝23(개)입니다.

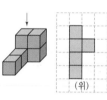
(위)

4. 길이 재기 (1)

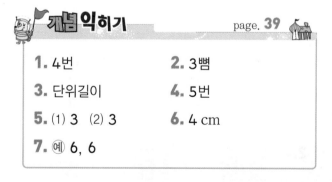

개념 익히기 page. 39

1. 4번 **2.** 3뼘

3. 단위길이 **4.** 5번

5. (1) 3 (2) 3 **6.** 4 cm

7. 예 6, 6

7. 어림한 길이는 학생들에 따라 여러 가지로 나올 수 있습니다.

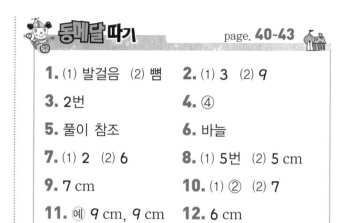

동메달 따기 page. 40~43

1. (1) 발걸음 (2) 뼘 **2.** (1) 3 (2) 9

3. 2번 **4.** ④

5. 풀이 참조 **6.** 바늘

7. (1) 2 (2) 6 **8.** (1) 5번 (2) 5 cm

9. 7 cm **10.** (1) ② (2) 7

11. 예 9 cm, 9 cm **12.** 6 cm

1. 발걸음 : 보통 걸음으로 걸었을 때의 두 발 사이의 거리
뼘 : 엄지손가락과 다른 손가락을 완전히 펴서 벌렸을 때 두 끝 사이의 거리

3. 가장 긴 단위길이는 ㉯이고, 선의 길이는 단위길이 ㉯로 2번입니다.

4. 걸음, 어른의 키, 뼘은 사람에 따라 그 길이가 다를 수 있으며 젓가락의 길이도 각각 길이가 다를 수 있습니다.

5. (1)
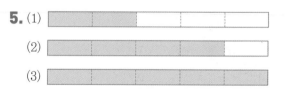
(2)
(3)

6. 단위길이가 길수록 재어 나타낸 수가 작습니다.

7. (1) 자의 큰 눈금 한 칸은 l cm이므로 큰 눈금 2칸은 2 cm입니다.
(2) 자의 큰 눈금 6칸이므로 6 cm입니다.

8. (1) l cm짜리 칸이 5개 있으므로 크레파스의 길이는 l cm로 5번입니다.
(2) l cm로 5번이므로 5 cm입니다.

9. 자의 큰 눈금 한 칸은 l cm이고, 선의 길이는 큰 눈금 7칸이므로 7 cm입니다.

은메달 따기 page. 44~47

1. ④ **2.** ㉣

3. ㉮ 3 cm, ㉯ 5 cm   **4.** 20번

5. 5, 6, 3   **6.** 색연필

7. 11 cm   **8.** 5 cm

9. 2 cm   **10.** 59 cm

11. 10 cm   **12.** 동민, 1 cm

1. ④ 우산의 길이는 뼘으로 재는 것이 좋습니다.

2. 단위길이가 가장 긴 것부터 차례대로 쓰면 연필, 지우개, 바늘, 클립이므로 연필로 재어 나타낸 수가 가장 작습니다.

3. ㉮는 큰 눈금이 3칸이므로 3 cm이고, ㉯는 큰 눈금이 5칸이므로 5 cm입니다.

4. 가영이의 필통 길이가 지우개 길이로 4번이므로 탁자의 길이는 지우개로
4+4+4+4+4=20(번)입니다.

6. 큰 눈금의 칸 수를 세어 비교해 봅니다.

9. (긴 쪽의 길이)=6 cm,
(짧은 쪽의 길이)=4 cm
따라서 긴 쪽의 길이는 짧은 쪽의 길이보다
2 cm 더 깁니다.

10. (한초의 한 걸음의 길이)=57−4=53 (cm)
(영수의 한 걸음의 길이)=53+6=59 (cm)

11. 긴 변과 짧은 변의 길이의 합은 34 cm의 반이므로 17 cm입니다.
긴 변과 짧은 변의 길이의 차가 3 cm이므로 긴 변은 10 cm, 짧은 변은 7 cm입니다.

12. 석기 : 12+3=15(cm)
동민 : 15−2=13(cm)
따라서 동민이는 한초보다 13−12=1(cm) 더 깁니다.

 page. 48~49

1. ㉢, ㉠, ㉡   **2.** 65 cm

3. 50 cm   **4.** 35 cm

5. 32 cm   **6.** 7 cm

1. 각각의 선이 지나는 가장 작은 사각형의 한 변의 길이를 세어 봅니다.

2. 겹치지 않을 경우 색 테이프의 전체 길이는
11+11+11+11+11+11+11=77(cm)입니다.
그림에서 2 cm씩 겹쳐진 곳이 6군데이므로
2+2+2+2+2+2=12(cm)만큼 짧아집니다.
따라서 이어진 전체 길이는
77−12=65(cm)입니다.

3. 사용한 막대는 모두 50개이므로 50 cm가 됩니다.

4. 한 칸은 1 cm이고, 잘린 칸은 35칸이므로 잘린 선의 길이는 35 cm입니다.

5. (크레파스 1개의 길이)
=(못 4개의 길이)=2+2+2+2=8 (cm)
(연필 1개의 길이)=(크레파스 2개의 길이)
=8+8=16 (cm)
(나무막대 1개의 길이)
=(연필 1개의 길이)+(못 8개의 길이)
=16+2+2+2+2+2+2+2+2
=32 (cm)

6. 못의 길이는 연필과 색연필이 겹치는 부분의 길이와 같습니다.
따라서 겹치는 부분의 길이는
17+15−25=7(cm)입니다.

5. 길이 재기 (2)

개념익히기 page. 51

1. (1) 5   (2) 700

2. (1) 600, 6, 6, 29   (2) 9, 900, 941

3. 2, 70   **4.** (1) 7, 90   (2) 5, 89

5. 1, 40   **6.** (1) 3, 60   (2) 6, 34

    $=4\,\text{m}\ 20\,\text{cm}+1\,\text{m}\ 55\,\text{cm}$

    $=5\,\text{m}\ 75\,\text{cm}$

15. $8\,\text{m}\ 85\,\text{cm}-312\,\text{cm}$

    $=8\,\text{m}\ 85\,\text{cm}-3\,\text{m}\ 12\,\text{cm}$

    $=5\,\text{m}\ 73\,\text{cm}$

16. (규형이가 공을 던진 거리)

    $-$(신영이가 공을 던진 거리)

    $=8\,\text{m}\ 70\,\text{cm}-7\,\text{m}\ 30\,\text{cm}=1\,\text{m}\ 40\,\text{cm}$

동메달따기   page. 52-55

1. (1) 6   (2) 3   (3) 200   (4) 800

2. 7 미터 35 센티미터

3. (1) 3, 82   (2) 517   **4.** (1) <   (2) <

5. 9, 59

6. (1) 8 m 56 cm   (2) 9 m 83 cm

    (3) 7 m 69 cm   (4) 7 m 97 cm

7. >   **8.** 74 m 49 cm

9. 2, 14

10. (1) 3 m 31 cm   (2) 2 m 3 cm

    (3) 4 m 58 cm   (4) 5 m 72 cm

11. 6, 52   **12.** 11 m 25 cm

13. 6, 69   **14.** 5 m 75 cm

15. 5, 73   **16.** 1 m 40 cm

은메달따기   page. 56-59

1. ㉠ 10, ㉡ 94   **2.** 영수, 4 m 62 cm

3. 82 cm   **4.** 풀이 참조

5. 2 m 60 cm   **6.** 10 m 14 cm

7. 용희   **8.** 3 m 31 cm

9. 7 m 50 cm   **10.** 지혜, 133 cm

11. ㉮, 6 m   **12.** 풀이 참조

3. 100 cm=1 m를 이용하여 몇 cm를 몇 m 몇 cm로, 몇 m 몇 cm를 몇 cm로 나타낼 수 있습니다.

4. 같은 단위로 고쳐서 길이를 비교합니다.

11. $8\,\text{m}\ 75\,\text{cm}-2\,\text{m}\ 23\,\text{cm}$

    $=(8\,\text{m}-2\,\text{m})+(75\,\text{cm}-23\,\text{cm})$

    $=6\,\text{m}\ 52\,\text{cm}$

12. 꽃밭의 가로의 길이에서 세로의 길이를 뺍니다.

13. $3\,\text{m}\ 54\,\text{cm}+3\,\text{m}\ 15\,\text{cm}$

    $=(3\,\text{m}+3\,\text{m})+(54\,\text{cm}+15\,\text{cm})$

    $=6\,\text{m}\ 69\,\text{cm}$

14. (큰 상자를 포장한 끈의 길이)

    $+$(작은 상자를 포장한 끈의 길이)

1. $168-㉡=74$ $㉡=168-74=94$

    $㉠-1-4=5$ $㉠=5+4+1=10$

2. 영수가 1분 동안

    $55\,\text{m}\ 75\,\text{cm}-54\,\text{m}\ 21\,\text{cm}=1\,\text{m}\ 54\,\text{cm}$

    씩 더 많이 걸었으므로

    3분 동안 영수가

    $1\,\text{m}\ 54\,\text{cm}+1\,\text{m}\ 54\,\text{cm}+1\,\text{m}\ 54\,\text{cm}$

    $=4\,\text{m}\ 62\,\text{cm}$ 더 많이 걸었습니다.

3. (용희의 키)$=1\,\text{m}\ 85\,\text{cm}-54\,\text{cm}$

              $=1\,\text{m}\ 31\,\text{cm}$

    (책상의 높이)$=213\,\text{cm}-1\,\text{m}\ 31\,\text{cm}$

                 $=213\,\text{cm}-131\,\text{cm}$

                 $=82\,\text{cm}$

4. (나의 길이)$=$(다의 길이)$-20\,\text{cm}$

             $=2\,\text{m}\ 43\,\text{cm}-20\,\text{cm}$

             $=2\,\text{m}\ 23\,\text{cm}$이므로

(가의 길이)=(나의 길이)+16 cm
　　　　　=2 m 23 cm+16 cm
　　　　　=2 m 39 cm입니다.

5. (집~도서관)=87 m 18 cm
(집~병원~도서관)
=28 m 56 cm+61 m 22 cm
=89 m 78 cm
➡ 89 m 78 cm−87 m 18 cm
　=2 m 60 cm

6. 38 m 43 cm+53 m 6 cm−81 m 35 cm
=91 m 49 cm−81 m 35 cm
=10 m 14 cm

7. 6 m=600 cm이므로 실제 길이와의 차는 다음과 같습니다.
예슬 : 625는 600보다 25 큰 수이므로 차는 25 cm입니다.
가영 : 610은 600보다 10 큰 수이므로 차는 10 cm입니다.
석기 : 589는 600보다 11 작은 수이므로 차는 11 cm입니다.
용희 : 593은 600보다 7 작은 수이므로 차는 7 cm입니다.
따라서 실제 길이에 가장 가깝게 자른 사람은 용희입니다.

8. (8 cm씩 7도막)=8×7=56 (cm)이므로 사용한 끈의 길이는
3 m 87 cm−56 cm=3 m 31 cm입니다.

9. 75 cm+75 cm=150 cm이므로 별 모양의 변의 길이의 합은
150+150+150+150+150=750(cm)
➡ 7 m 50 cm입니다.

10. (한별이의 키)=386−252=134 (cm),
(영수의 키)=134+5=139 (cm)
(지혜의 키)=139−6=133 (cm)
따라서 지혜의 키가 133 cm로 가장 작습니다

11. ㉮ : 3 m+4 m+3 m+4 m+3 m+4 m
　　　+3 m+4 m+4 m=32 m

㉯ : 4 m+3 m+3 m+4 m+3 m+4 m
　　　+4 m+4 m+3 m+3 m+3 m
　　　=38 m
따라서 ㉮로 가는 것이 38 m−32 m=6 m
더 가깝습니다.

12. 1 m 21 cm짜리 끈 4개의 길이는
4 m 84 cm입니다.
따라서 겹쳐진 부분 3개의 길이는
4 m 84 cm−4 m 51 cm=33 cm이므로
겹쳐진 부분 한 개의 길이는 11 cm입니다.

금메달따기 page. 60~61

1. 2 m 4 cm　　　　　**2.** 사각형, 95
3. 6 m 84 cm, 4 m 38 cm, 2 m 54 cm,
　　8 cm
4. 214 cm
5. ㉠ 126 cm ㉡ 173 cm
6. 가영, 6 m 92 cm

1. (사용한 색 테이프의 길이)
=10 cm+10 cm+6 cm+6 cm+6 cm
　+6 cm+25 cm+25 cm+32 cm
=126 cm=1 m 26 cm
(남은 색 테이프의 길이)
=3 m 30 cm−1 m 26 cm
=2 m 4 cm

2. (사각형의 둘레의 길이)
=1 m 25 cm+1 m 25 cm+1 m 25 cm
　+1 m 25 cm
=5 m
(삼각형의 둘레의 길이)
=135 cm+135 cm+135 cm
=405 cm
따라서 사각형이 5 m−405 cm=95 cm 더 깁니다.

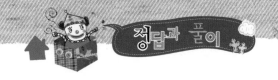

3. ㉠+㉡+㉢
   =1 m 23 cm+2 m 15 cm+3 m 46 cm
   =6 m 84 cm
   ㉡+㉢-㉠
   =2 m 15 cm+3 m 46 cm-1 m 23 cm
   =4 m 38 cm
   ㉠+㉢-㉡
   =1 m 23 cm+3 m 46 cm-2 m 15 cm
   =2 m 54 cm
   ㉢-㉠-㉡
   =3 m 46 cm-1 m 23 cm-2 m 15 cm
   =8 cm

4. 435+63=498이므로 157+㉠=498,
   ㉠=498-157=341(cm)입니다.
   ㉡+394=498,
   ㉡=498-394=104(cm)입니다.
   267+㉢=498,
   ㉢=498-267=231(cm)입니다.
   ➡ 341+104-231=214(cm)

5. ㉠ 4 m 13 cm+3 m 85 cm-6 m 72 cm
     =1 m 26 cm
   ㉡ 3 m 85 cm+2 m 13 cm-4 m 25 cm
     =1 m 73 cm

6. 1분 동안 상연이는 43 m 13 cm를 걷고, 가영
   이는 44 m 86 cm를 걸으므로 가영이가
   44 m 86 cm-43 m 13 cm=1 m 73 cm
   더 많이 걷습니다.
   가영이가 1분에 1 m 73 cm 더 많이 걸으므로
   4분 동안에는 가영이가
   1 m 73 cm+1 m 73 cm
     +1 m 73 cm+1 m 73 cm
   =4 m 292 cm=4 m+2 m 92 cm
   =6 m 92 cm
   더 많이 걷습니다.

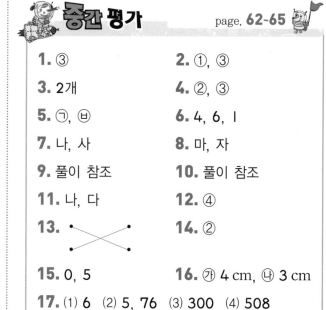

중간 평가   page. 62-65

1. ③	**2.** ①, ③
3. 2개	**4.** ②, ③
5. ㉠, ㉥	**6.** 4, 6, 1
7. 나, 사	**8.** 마, 자
9. 풀이 참조	**10.** 풀이 참조
11. 나, 다	**12.** ④
13.	**14.** ②
15. 0, 5	**16.** ㉮ 4 cm, ㉯ 3 cm
17. (1) 6 (2) 5, 76 (3) 300 (4) 508	
18. (1) 6, 49 (2) 3, 26	
19. 풀이 참조	**20.** 52 m 28 cm

2. ②, ④ : 사각형, ⑤ : 원

8. 꼭짓점이 6개인 도형은 육각형입니다.

9. (예)
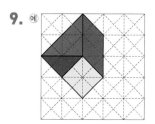

10. (예)
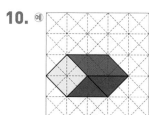

12. ④
   ④의 ★표 한 쌓기나무 뒤에 쌓기나무가 1개
   더 있을 수도 있고, 없을 수도 있으므로 쌓기나
   무의 개수를 정확히 알 수 없습니다.

14. 왼쪽 모양은 1층의 쌓기나무 개수가 4개인데
   오른쪽 모양은 1층의 쌓기나무 개수가 3개입

니다.
따라서 1층에 놓인 쌓기나무를 빼내야 합니다.

16. ㉮는 큰 눈금이 4칸이므로 4 cm이고,
㉯는 큰 눈금이 3칸이므로 3 cm입니다.

17. ⑵ 576 cm=500 cm+76 cm
　　　　　=5 m　76 cm
⑷ 5 m　8 cm=500 cm+8 cm
　　　　　　=508 cm

19. 어림한 길이와 자로 잰 길이의 차가 작을수록
잘 어림한 것이므로 가장 잘 어림한 사람은 가
영이입니다.

20. 87 m　78 cm−35 m　50 cm
　　=52 m　28 cm

---

6. 시각과 시간 알아보기

개념 익히기　　　　page. **67**

1. ⑴ 2, 3, 8　⑵ 2, 40

2. ⑴ 6, 15　⑵ 4, 12

3. ⑴　　　　　⑵

4. 5　　　　　**5.** 25

6. ⑴ 1　⑵ 1, 30　⑶ 2　⑷ 2, 30

1. 시계의 짧은바늘이 숫자 2와 3 사이를 가리키므
로 2시이고, 긴바늘이 숫자 8을 가리키므로 40
분을 나타냅니다.

4. 2시 55분은 3시가 되려면 5분이 부족한 시각
이므로 3시 5분 전입니다.

5. 7시 20분부터 7시 45분까지 긴바늘이 작은
눈금 25칸을 움직였으므로 한초가 밥을 먹는데
걸린 시간은 25분입니다.

동메달 따기　　　　page. **68~71**

1. 20, 25, 35, 40, 55

2. ⑴ 3, 30　⑵ 8, 17

3. •　　•　　•　**4.**

5. ⑴ 4　⑵ 5, 45　⑶ 1, 45　⑷ 105

6. 45, 15

7. ⑴ 4　⑵ 180　⑶ 1, 10　⑷ 10

8. 1시간 20분　　　**9.** 오후 4시 35분

10. 재호　　　　　**11.** 3시 33분

12. 풀이 참조

2. ⑵ 시계의 짧은바늘이 숫자 8과 9 사이를 가리
키므로 8시이고, 긴바늘이 숫자 3에서 작은
눈금 2칸을 더 갔으므로 17분을 나타냅니다.

3. 디지털 시계에서 ' : ' 왼쪽 부분은 시를, 오른
쪽 부분은 분을 나타냅니다.

4. 짧은바늘은 숫자 5와 6 사이를 가리키고, 긴바
늘은 숫자 8을 가리키도록 그립니다.

5. ⑶ 4시 $\xrightarrow{1시간}$ 5시 $\xrightarrow{45분}$ 5시 45분
따라서 숙제를 하는 데 1시간 45분이 걸렸
습니다.
⑷ 1시간 45분=60분+45분=105분

7. ⑶ 70분=60분+10분=1시간+10분
　　　　=1시간 10분
⑷ 4시 50분은 5시가 되려면 10분이 부족한 시
각이므로 4시 50분은 5시 10분 전입니다.

8. 7시 15분 $\xrightarrow{1시간}$ 8시 15분 $\xrightarrow{20분}$ 8시 35분

9. 3시 15분 $\xrightarrow{1시간}$ 4시 15분 $\xrightarrow{20분}$ 4시 35분

10. 1시간 18분=60분+18분=78분
따라서 공부한 시간이 더 많은 사람은 재호입
니다.

11. 보미가 공부를 시작한 시각은 2시 43분입니다. 따라서 공부를 끝낸 시각은 2시 43분부터 50분 후인 3시 33분입니다.

12.

150분은 2시간 30분입니다.

금메달 따기 page. **72~75**

1. 1시간 10분	**2.** 2시간 15분
3. 5, 45, 6, 15	**4.** 5시 35분
5. 2시간 23분	**6.** 3시 33분
7. 풀이 참조	**8.** 8시 5분
9. 5시 38분	**10.** 7시 37분
11. 2시 49분	**12.** 1시 40분

1. 8시 15분 $\xrightarrow{1시간}$ 9시 15분 $\xrightarrow{10분}$ 9시 25분

2. 3시 $\xrightarrow{2시간}$ 5시 $\xrightarrow{15분}$ 5시 15분

3. 6시가 되려면 15분이 더 지나야 하므로 6시 15분 전이라고도 합니다.

4. 시계의 긴바늘이 한 바퀴를 돌면 5시 10분이고 숫자 7을 가리킬 때까지이므로 5시 35분에 숙제를 끝냈습니다.

5. 9시 22분 $\xrightarrow{1시간}$ 10시 22분

$\xrightarrow{1시간}$ 11시 22분 $\xrightarrow{23분}$ 11시 45분

1시간＋1시간＋23분＝2시간 23분

6. 5시 38분 $\xrightarrow{2시간 전}$ 3시 38분 $\xrightarrow{5분 전}$ 3시 33분

7.

3시 40분 $\xrightarrow{35분 전}$ 3시 5분

3시 40분 $\xrightarrow{3시간 20분 후}$ 7시

8. 160분＝60분＋60분＋40분＝2시간 40분
5시 25분에서 2시간 40분 후는 8시 5분입니다.

9. 짧은바늘이 숫자 5와 6 사이에 있으면 5시입니다. 긴바늘이 숫자 8을 가리키면 40분인데 8보다 작은 눈금 두 칸 못 간 곳을 가리키므로 38분입니다.
따라서 5시 38분입니다.

10. 긴바늘이 작은 눈금 1칸을 움직이면 1분이 지난 것이므로 16칸을 움직이면 16분이 지난 것입니다.
따라서 7시 21분에서 16분 더 지나면 7시 37분입니다.

11. 긴바늘은 숫자 10보다 작은 눈금 한 칸 못 간 곳을 가리키므로 49분을 나타내고, 짧은바늘은 숫자 3 가까이에 있으므로 한초가 시계를 본 시각은 2시 49분입니다.

12. 거울 속 시계의 짧은바늘은 숫자 1과 2 사이에 있고, 긴바늘은 숫자 8을 가리키고 있습니다.
따라서 1시 40분입니다.

금메달 따기 page. **76~77**

1. 풀이 참조	**2.** 풀이 참조
3. ⑴ 2시 25분	⑵ 4시간 50분
4. 8시 30분	**5.** 종신
6. 9번	

1. 6시 10분의 1시간 전 시각은 5시 10분이고, 5시 10분의 40분 전 시각은 4시 30분입니다.
따라서 영화는 4시 30분에 시작되었습니다.

2.

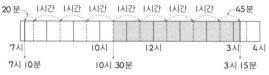

3시간 20분 전 ← → 4시간 45분 후

20분 ┤1시간┤1시간┤1시간┤1시간┤1시간┤1시간┤1시간├ 45분

7시   10시   12시   3시 4시

7시 10분   10시 30분   3시 15분

3. 9시 35분 →(4시간) 1시 35분 →(50분) 2시 25분

4. 25분씩 늘어나는 규칙이 있습니다.
따라서 마지막에 있는 시계는 8시 5분에서 25분 후인 8시 30분을 가리킵니다.

5. 종신이가 목욕을 한 시간은 53분이고, 진구가 목욕을 한 시간은 51분입니다.
따라서 더 오랫동안 목욕을 한 사람은 종신이입니다.

6. 수영을 시작한 시각은 8시 25분에서 85분 전인 7시 정각입니다.
7시부터 8시 25분까지 숫자의 합이 14가 되는 시각은 7시 7분, 7시 16분, 7시 25분, 7시 34분, 7시 43분, 7시 52분, 8시 6분, 8시 15분, 8시 24분으로 9번입니다.

7. 하루의 시간과 달력 알아보기

 개념익히기   page. **79**

1. 오전, 오후   **2.** 7시간

3. 8시간

4. (1) 수 (2) 17 (3) 12, 19, 26 (4) 7 (5) 7

5. (1) 1, 2 (2) 1, 6 (3) 1, 8 (4) 2

2. 시간 띠에서 1칸은 1시간을 나타내고, 색칠한 칸은 7칸이므로 7시간입니다.

3. 저녁 10시부터 밤 12시까지는 2시간이고, 밤 12시부터 다음날 아침 6시까지는 6시간이므로 예슬이는 모두 8시간을 잤습니다.

4. (3) 7일마다 같은 요일이 반복됩니다.
5 12 19 26
+7 +7 +7
(5) 7일마다 같은 요일이 반복되므로 둘째 목요일부터 7일 후가 셋째 목요일입니다.

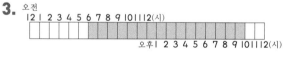 **동네답따기**   page. **80~83**

1. 12, 12, 12, 12   **2.** 7시간

3. 풀이 참조, 16시간   **4.** 오전 8시 5분

5. (1) 7 (2) 10 (3) 15   **6.** 4시간

7. (1) 2일, 9일, 16일, 23일, 30일
(2) 수요일 (3) 21일, 화요일 (4) 일요일

8. (1) 1 (2) 25 (3) 1 (4) 1, 5

9. 31, 31, 30, 31, 31, 30, 31, 30, 31

10. 3일, 10일, 17일, 24일, 31일

11. (1) 26일 (2) 16일, 금요일

12. 풀이 참조

2. 한 칸은 1시간을 나타내고, 색칠된 부분은 모두 7칸이므로 7시간입니다.

3.

오전
12 1 2 3 4 5 6 7 8 9 10 11 12 (시)
오후 1 2 3 4 5 6 7 8 9 10 11 12 (시)

1칸은 1시간을 나타내고, 색칠한 부분은 16칸이므로 16시간입니다.

4. 첫 번째 6시 45분 ┐
       7시 ┤ 15분 ┐ 40분
두 번째 7시 25분 ┘ 25분 ┘
       8시 ┤ 35분 ┐ 40분
세 번째 8시 5분 ┘ 5분 ┘

따라서 세 번째 버스는 오전 8시 5분에 출발합니다.

6. 오전 10시부터 낮 12시까지는 2시간, 낮 12시부터 오후 2시까지는 2시간이므로 웅이가 부모님과 함께 등산을 한 시간은 4시간입니다.

8. (2) 3주일 4일＝1주일＋1주일＋1주일＋4일
　　＝7일＋7일＋7일＋4일＝25일

　　(4) 17개월＝12개월＋5개월＝1년＋5개월
　　＝1년 5개월

10. 1주일은 7일이며 같은 요일은 7일마다 반복됩니다.

11. (1) 첫째 월요일은 5일이므로 넷째 월요일은
　　5＋7＋7＋7＝26(일)입니다.

　　(2) 4일에서 12일 후는 4＋12＝16(일)입니다.
　　16일은 16－7＝9(일)과 같은 금요일입니다.

12. 7월은 31일까지 있고, 첫째 토요일은 3일입니다.
　　따라서 7월의 토요일은 3일, 10일, 17일, 24일, 31일이므로 방 청소를 모두 5번 할 수 있습니다.

실력 딱기
page. **84~87**

1. 10시간	**2.** 오후 7시 8분
3. 오후 10시 12분	
4. 5일, 12일, 19일, 26일	
5. 30일	**6.** 25일
7. 목요일	**8.** 4월 12일
9. 53시간	**10.** 금요일
11. 토요일	**12.** 8월 2일
13. 29일	

1. 하루는 24시간이므로 자유 시간은
24－8－6＝10(시간)입니다.

2. 128분＝60분＋60분＋8분＝2시간 8분
오후 5시에 시작하여 2시간 8분 후에 끝났으므로 오후 7시 8분입니다.

---

3. 오전 10시부터 오후 10시까지는 12시간입니다.
1시간에 1분씩 빨라지므로 12시간 동안에는 12분 빨라집니다.
따라서 상연이의 시계는 오후 10시에서 12분 빠른 오후 10시 12분을 가리킵니다.

4. 첫째 일요일이 5일이므로 이 달의 일요일은 5일, 12일, 19일, 26일입니다.

5. 첫째 목요일이 2일이므로 목요일인 날을 알아보면 2일, 9일, 16일, 23일, 30일입니다.
따라서 다섯째 목요일은 30일입니다.

6. 4일 $\xrightarrow{\text{1주일}}$ 11일 $\xrightarrow{\text{1주일}}$ 18일 $\xrightarrow{\text{1주일}}$ 25일

7. 5월은 31일까지 있는 달이고,
31일은 31－7－7－7－7＝3에서 3일과 같은 금요일이므로 6월 1일은 토요일입니다.
따라서 6월 6일은 목요일입니다.

8. 3일＋40일＝43일이고, 43일＝31일＋12일이므로 3월 3일부터 40일 후는 4월 12일입니다.

9. 17일 오전 10시 $\xrightarrow{\text{2일간}}$ 19일 오전 10시
$\xrightarrow{\text{5시간}}$ 19일 오후 3시
24시간＋24시간＋5시간＝53시간

10. 4월 5일 $\xrightarrow{\text{30일 후}}$ 5월 5일 $\xrightarrow{\text{31일 후}}$ 6월 5일
$\xrightarrow{\text{1일 후}}$ 6월 6일
(30＋31＋1＝62일 후)
62＝7＋7＋7＋7＋7＋7＋7＋7＋6
토요일부터 6일 후는 금요일입니다.

11. 어제가 목요일이므로 오늘은 금요일입니다.
15일은 2주일 1일과 같고, 같은 요일은 1주일마다 반복되므로 15일 후의 요일은 1일 후의 요일과 같습니다.
따라서 토요일입니다.

12. 7월은 31일까지 있는 달입니다. 2주일 4일은 18일이므로 7월 16일을 첫째 날로 하여 18일째 되는 날을 알아보면 마지막 머문 날은 8월 2일입니다.

13. 28일일 때, 2월 5일이 금요일이면 3월 5일도 금요일입니다.

29일일 때, 2월 5일이 금요일이면 3월 5일은 토요일입니다.

따라서 이 해의 2월의 날수는 29일입니다.

금메달따기

page. **88-89**

1. 23일	**2.** 풀이 참조
3. 70	**4.** 10월 31일
5. 7대	**6.** 11시 5분

1. 첫째 수요일은 2일이므로 넷째 수요일은 2+7+7+7=23(일)입니다.

2. 2일 – 9일 – 16일 – 23일

7일 후 7일 후 7일 후

23일이 수요일이므로 동민이의 생일은 2일 후인 금요일입니다. 가영이의 생일은 동민이 생일의 4일 전인 21일입니다. 23일이 수요일이므로 21일은 월요일입니다.

태준이의 생일은 동민이 생일의 8일 후이므로 동민이 생일의 7일 후 금요일의 다음날인 토요일입니다. 따라서 태준이가 틀리게 말했습니다.

3. 3월 15일이 화요일이므로 3월 22일, 3월 29일이 화요일이고 3월 31일은 목요일입니다.

4월 1일은 금요일이므로 4월 8일, 4월 15일, 4월 22일, 4월 29일은 금요일이고 4월 30일은 토요일입니다.

5월 1일은 일요일이므로 토요일인 날짜는 5월 7일, 5월 14일, 5월 21일, 5월 28일이고 날짜의 합은 7+14+21+28=70입니다.

4. 지혜의 생일은 11월 3일보다 7일 앞인 10월 27일입니다.

영수는 지혜보다 96시간, 즉 4일 후인 10월 31일입니다.

5. 서울에서 광주로 버스가 출발하는 시각은 다음과 같습니다.

6시 30분 →50분 후→ 7시 20분 →50분 후→ 8시 10분

→50분 후→ 9시 →50분 후→ 9시 50분

→50분 후→ 10시 40분 →50분 후→ 11시 30분

→50분 후→ 12시 20분

오전 ←|→ 오후

6. 3월 1일 오전 10시부터 5월 5일 오전 10시까지는 31+30+4=65(일)이므로 65분 빨라져 있습니다.

따라서 5월 5일 오전 10시에 이 시계는 10시+65분=11시 5분을 가리키고 있습니다.

8. 도형 세기

개념익히기

page. **91**

1. 5개	**2.** 6개
3. 7개	**4.** 2개
5. 6개	**6.** 6개

1. 사각형 1개짜리 : 3개
사각형 2개짜리 : 2개
➡ 3+2=5(개)

2. 사각형 1개짜리 : 3개
사각형 2개짜리 : 2개
사각형 3개짜리 : 1개
➡ 3+2+1=6(개)

3. 도형 1개짜리 : 3개
도형 2개짜리 : 3개
도형 4개짜리 : 1개
➡ 3+3+1=7(개)

4. ㉠, ㉠+㉡ ➡ 2개

5. 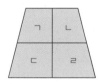 ㉠, ㉡, ㉢, ㉠+㉡, ㉡+㉢,
㉠+㉡+㉢ ➡ **6개**

6. ㉠, ㉡, ㉠+㉡, ㉠+㉢,
㉡+㉤, ㉠+㉡+㉢+㉤
➡ **6개**

동메달따기   page. **92-95**

1. 9개	**2.** 10개
3. 6개	**4.** 7개
5. 9개	**6.** 8개
7. 5개	**8.** 3개
9. 8개	**10.** 5개
11. 2개	**12.** 2개
13. 5개	

1. 1칸으로 이루어진 사각형은
ㄱ, ㄴ, ㄷ, ㄹ이므로 4개
2칸으로 이루어진 사각형은
ㄱㄴ, ㄱㄷ, ㄴㄹ, ㄷㄹ이므
로 4개
4칸으로 이루어진 사각형은 ㄱㄴㄷㄹ이므로
1개입니다.
따라서 찾을 수 있는 사각형은 모두
4+4+1=**9(개)**입니다.

2. ㄱㄴ, ㄴㄷ, ㄷㄹ,
ㅁㅂ, ㅂㅅ, ㅅㅇ,
ㄱㅁ, ㄴㅂ, ㄷㅅ,
ㄹㅇ으로 이루어
진 사각형이므로 **10개**입니다.

3. ㄱㄴㄷ, ㄹㅁㅂ, ㅅㅇㅈ, ㄱ
ㄹㅅ, ㄴㅁㅇ, ㄷㅂㅈ으로
이루어진 사각형이므로 **6개**
입니다.

4.
ㄱㄴ, ㄴㄷ, ㄹㅁ, ㅁㅂ, ㄱㄹ, ㄴㅁ, ㄷㅂ으로
이루어진 사각형이므로 **7개**입니다.

5. ㄱㄴㄷㄹ, ㅁㅂㅅㅇ, ㅈㅊㅋㅌ, ㄱㄴㅁㅂ, ㄴㄷ
ㅂㅅ, ㄷㄹㅅㅇ, ㅁㅂㅈㅊ, ㅂㅅㅊㅋ, ㅅㅇㅋㅌ
으로 이루어진 사각형이므로 **9개**입니다.

6. 도형 (나)에서 3칸으로 이루어진 사각형은 ㄱㄴ
ㄷ, ㄴㄷㄹ, ㅁㅂㅅ, ㅂㅅㅇ, ㅈㅊㅋ, ㅊㅋㅌ, ㄱ
ㅁㅈ, ㄴㅂㅊ, ㄷㅅㅋ, ㄹㅇㅌ으로 이루어진 사
각형이므로 10개, 도형 (가)에서 3칸으로 이루
어진 사각형은 ㄱㄴㄷ, ㄹㅁㅂ으로 이루어진 사
각형이므로 2개입니다.
따라서 10-2=**8(개)** 더 많습니다.

7. ㄱ, ㄴ, ㄷ, ㄹ, ㄱㄴㄷㄹ이므로
모두 **5개**입니다.

8. ㄱㄴㄷㄹ, ㄴㄷㅁㅂㅅ,
ㄹㅅㅇㅈ으로 이루어
진 삼각형이므로 **3개**
입니다.
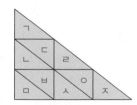

9. ㄱ, ㄴ, ㄷ, ㄹ, ㄱㄴ, ㄱ
ㄹ, ㄴㄷ, ㄷㄹ이므로 찾
을 수 있는 삼각형은 모두
8개입니다.

10. ㄱ, ㄴ, ㄷ, ㄹ, ㄴㄷ
이므로 찾을 수 있
는 삼각형은 모두
5개입니다.
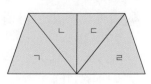

11. ㄱㄴ, ㄷㄹ로 이루어진 사각형이므로 **2**개입니다.

12. ㄱㄴㄷ, ㄴㄷㄹ로 이루어진 사각형이므로 **2**개입니다.

13. 2칸으로 이루어진 사각형 : 2개
3칸으로 이루어진 사각형 : 2개
4칸으로 이루어진 사각형 : 1개
따라서 찾을 수 있는 사각형은 모두
2+2+1=5(개)입니다.

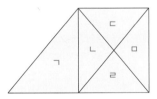
page. **96~99**

1. 4개	**2.** 1개
3. 10개	**4.** 4개
5. 3개	**6.** 7개
7. 27개	**8.** 8개
9. 3개	**10.** 2개
11. 1개	**12.** 3개
13. 8개	**14.** 3개
15. 2개	**16.** 21개

1. ㄷㄴ, ㄷㅁ, ㄴㄹ,
ㄹㅁ으로 이루어진
삼각형이므로 **4**개
입니다.

2. ㄱㄴㄹ로 이루어진 삼각형이므로 **1**개입니다.

3. 1칸으로 이루어진 삼각형 : 5개
2칸으로 이루어진 삼각형 : 4개
3칸으로 이루어진 삼각형 : 1개
따라서 찾을 수 있는 삼각형은 모두
5+4+1=10(개)입니다.

4. ㄱㄴ, ㄱㄴㄷ, ㄷㄴㄹㅁ, ㄱㄴㄷㄹㅁ으로 이루어진 사각형이므로 모두 **4**개입니다.

5.

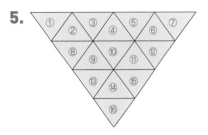

(①, ②, ③, ④, ⑤, ⑧, ⑨, ⑩, ⑬)
(③, ④, ⑤, ⑥, ⑦, ⑩, ⑪, ⑫, ⑮)
(⑧, ⑨, ⑩, ⑪, ⑫, ⑬, ⑭, ⑮, ⑯)
➡ **3**개

6. (①, ②, ③, ⑧), (③, ④, ⑤, ⑩), (⑤, ⑥, ⑦, ⑫), (⑧, ⑨, ⑩, ⑬), (⑩, ⑪, ⑫, ⑮), (⑬, ⑭, ⑮, ⑯), (④, ⑨, ⑩, ⑪) ➡ **7**개

7. 1칸으로 이루어진 삼각형 : 16개
4칸으로 이루어진 삼각형 : 7개
9칸으로 이루어진 삼각형 : 3개
16칸으로 이루어진 삼각형 : 1개
따라서 찾을 수 있는 삼각형은 모두
16+7+3+1=27(개)입니다.

8.

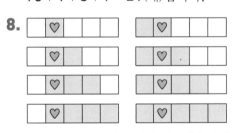

따라서 모두 **8**개를 찾을 수 있습니다.

9.

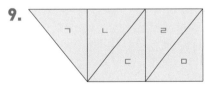

ㄱㄴㄷ, ㄴㄷㄹ, ㄷㄹㅁ으로 이루어진 사각형이므로 **3**개입니다.

10. ㄱㄴㄷㄹ, ㄴㄷㄹㅁ으로 이루어진 사각형이므로 **2**개입니다.

11. ㄱㄴㄷㄹㅁ으로 이루어진 사각형이므로 **1**개입니다.

12. 2칸으로 이루어진 사각형 : ㄴㄷ, ㄷㄹ, ㄹㅁ으로 3개, 3칸으로 이루어진 사각형 : 3개,
4칸으로 이루어진 사각형 : 2개,

5칸으로 이루어진 사각형 : 1개
이므로 찾을 수 있는 사각형은 모두
3+3+2+1=9(개)입니다.
1칸으로 이루어진 삼각형 : ㄱ, ㄴ, ㄷ, ㄹ, ㅁ으로
5개, 2칸으로 이루어진 삼각형 : ㄱㄴ으로 1개
이므로 찾을 수 있는 삼각형은 모두
5+1=6(개)입니다.
따라서 9-6=3(개) 더 많습니다.

13. 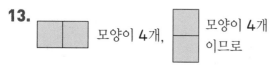 모양이 4개, 모양이 4개
이므로

4+4=8(개)입니다.

14. 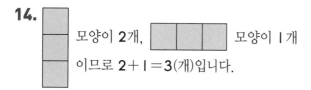 모양이 2개, 모양이 1개
이므로 2+1=3(개)입니다.

15.  모양이 2개 있습니다.

16. 1칸짜리 → 7개
2칸짜리 → 8개
3칸짜리 → 3개   7+8+3+2+1
4칸짜리 → 2개   =21(개)
6칸짜리 → 1개

따라서 찾을 수 있는 직사각형은 모두 21개입니다.

금메달따기   page. **100~101**

1. 12개   2. 6개
3. 13개   4. 20개
5. 6개   6. 6개
7. 4개

1. 사각형 1개짜리 : 1개
사각형 2개짜리 : 4개
사각형 3개짜리 : 3개
사각형 4개짜리 : 3개
사각형 6개짜리 : 1개
➡ 1+4+3+3+1=12(개)

2.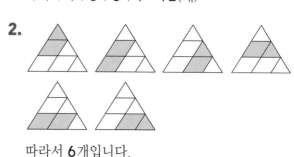

따라서 6개입니다.

3. 1칸으로 이루어진 사각형
은 ㄴ, ㄹ, ㅁ이므로 3개,
2칸으로 이루어진 사각
형은 ㄱㄴ, ㄴㄹ, ㄷㅁ,
ㄴㄷ, ㄹㅁ, ㅁㅂ이므로
6개,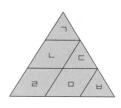
3칸으로 이루어진 사각형은 ㄱㄴㄹ, ㄹㅁㅂ이
므로 2개,
5칸으로 이루어진 사각형은 ㄱㄴㄷㄹㅁ, ㄴㄷ
ㄹㅁㅂ이므로 2개입니다.
따라서 찾을 수 있는 사각형은 모두 13개입니다.

4.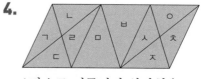

1칸으로 이루어진 삼각형은 ㄱ, ㄴ, ㄷ, ㄹ, ㅁ,
ㅂ, ㅅ, ㅇ, ㅈ, ㅊ이므로 10개,
2칸으로 이루어진 삼각형은 ㄱㄴ, ㄱㄷ, ㄴㄹ,
ㄷㄹ, ㅅㅇ, ㅅㅈ, ㅈㅊ, ㅇㅊ이므로 8개,
3칸으로 이루어진 삼각형은 ㄷㄹㅁ, ㅂㅅㅇ이
므로 2개입니다.
따라서 찾을 수 있는 삼각형은 모두
10+8+2=20(개)입니다.

5. ㄱㄴㄷㄹ, ㄴㄹㅁㅂ, ㄷㄹㅁㅂ, ㅁㅂㅅㅈ, ㅁㅂ
ㅅㅇ, ㅇㅅㅈㅊ으로 이루어진 사각형이므로 6
개입니다.

6. ㄱㄴㄷㄹㅁㅂ, ㄴㄷㄹㅁㅂㅅㅇ, ㄴㄷㄹㅁㅂㅅㅈ,
ㄷㄹㅁㅂㅅㅇ, ㄷㄹㅁㅂㅅㅈ, ㅁㅂㅅㅇㅈㅊ
으로 이루어진 사각형이므로 6개입니다.

7. ㄱㄴㄷㄹㅁㅂㅅㅈ, ㄱㄴㄷㄹㅁㅂㅅㅇ, ㄷㄹㅁ
ㅂㅅㅇㅈㅊ, ㄴㄷㄹㅁㅂㅅㅇㅈㅊ으로 이루어진
사각형이므로 4개입니다.

9. 도형의 규칙성 알아보기

개념 익히기   page. 103

1. 풀이 참조	**2.** 2, 1
3. 풀이 참조	**4.** 7개
5. 10개	**6.** 13개

1.

△ㅇ□△이 반복되는 규칙입니다.

2. □□△이 반복되는 규칙입니다.

3.

□⬡이 반복되는 규칙입니다.

4. 4+3=7(개)

5. 4+3+3=10(개)

6. 4+3+3+3=13(개)

동매달 따기   page. 104~107

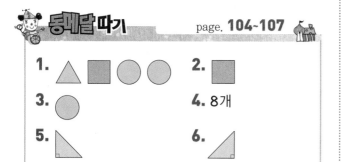

7. 12개	**8.**
9.	**10.** 32개
11. 16개	**12.** 31개
13. 7개	

2. 14=4+4+4+2이므로 반복되는 부분의 두
번째 도형입니다.

3. 20=4+4+4+4+4이므로 20번째에 올 도
형은 규칙적으로 반복되는 부분
의 마지막 도형입니다.

따라서 ⬤ 입니다.

4. 16=4+4+4+4이고, 반복되는 부분
에는 원이 2개이므로
2+2+2+2=8(개)입니다.

5. 반복되는 부분은 이므로

10번째에 올 도형은 ◺ 입니다.

6. 15=3×5이고, 반복되는 부분은
이므로

15번째 도형은 ◺ 입니다.

7. 도형이 3개씩 반복되므로 적어도
3×4=12(개)까지 늘어놓아야 합니다.

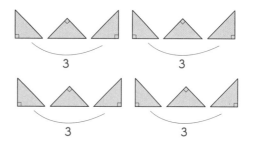

8. 반복되는 부분은 ⬜⬜⬜⬜ 이고,
12＝4×3이므로 12번째 도형은 반복되는 부분의 마지막 도형입니다. 즉, ⬜ 모양입니다.

9. 18＝4×4＋2이므로 반복되는 부분의 두 번째 도형입니다.
즉, ⬜ 모양입니다.

10. 도형이 4개씩 반복되므로 적어도
4×8＝32(개)를 늘어놓아야 합니다.

11. 사각형을 1개 만들 때 필요한 성냥개비의 개수
→ 4개
사각형을 2개 만들 때 필요한 성냥개비의 개수
→ (4＋3)개
사각형을 3개 만들 때 필요한 성냥개비의 개수
→ (4＋3＋3)개
사각형을 4개 만들 때 필요한 성냥개비의 개수
→ (4＋3＋3＋3)개
사각형을 5개 만들 때 필요한 성냥개비의 개수
→ (4＋3＋3＋3＋3)개
따라서 4＋3×4＝16(개)의 성냥개비가 필요합니다.

12. 4＋3＋3＋…＋3＝4＋(3×9)＝31(개)의
(3이 9개)
성냥개비가 필요합니다.

13. 22＝4＋(3×6)이므로 사각형은 7개가 만들어집니다.

얻때답 따기 page. 108-111

1. 삼각형	2. 21개
3. 27개	4. 10장
5. 28장	6. 10장
7. 20개	8. 15, 21, 28, 84개
9. 165개	10. 75장

11. 6층　　　　　**12.** 9층

1. ■▲●⬟이 반복되는 규칙입니다.
30＝4×7＋2이므로 4개씩 7번이 반복되고 2번째 도형이므로 삼각형입니다.

2. 3＋2×9＝21(개)

3. 첫 번째 : 7개
두 번째 : 7＋5＝12(개)
세 번째 : 7＋5×2＝17(개)
따라서 다섯 번째에는 7＋5×4＝27(개)입니다.

4. 두 번째 → 1장
세 번째 → 1＋2＝3(장)
네 번째 → 1＋2＋3＝6(장)
다섯 번째 → 1＋2＋3＋4＝10(장)
따라서 10장입니다.

5. 첫 번째 → 1장
두 번째 → 1＋2＝3(장)
세 번째 → 1＋2＋3＝6(장)
⋮
일곱 번째
→ 1＋2＋3＋4＋5＋6＋7＝28(장)
따라서 28장입니다.

6. 흰색 삼각형 종이는
1＋2＋3＋…＋10＝55(장),
검은색 삼각형 종이는
1＋2＋3＋…＋9＝45(장)이므로
55－45＝10(장)입니다.

별해
첫 번째 → 1장 차이
두 번째 → 3－1＝2(장) 차이
세 번째 → 6－3＝3(장) 차이
⋮
열 번째 → 10장 차이

7.

(1층) (2층) (3층) (4층)
10개 6개 3개 1개
따라서 1＋3＋6＋10＝20(개)가 필요합니다.

8. 필요한 쌓기나무 전체의 개수는
1+3+6+10+15+21+28=84(개)입니다.

9. 1+3+6+10+15+21+28+36+45
=165(개)입니다.

10. 10층 → 3장 ⎤
9층 → 4장 ⎟
8층 → 5장 ⎟
7층 → 6장 ⎟ 3+4+5+6+7+8
6층 → 7장 ⎬ +9+10+11+12
5층 → 8장 ⎟ =75(장)
4층 → 9장 ⎟
3층 → 10장 ⎟
2층 → 11장 ⎟
1층 → 12장 ⎦

11. 33=3+4+5+6+7+8
　　　↑　↑　　　　↑
　　　6층 5층 … 1층
이므로 6층까지 늘어놓았을 때입니다.

12. 5층 → 6층 → 7층 → 8층 → 9층
(7장)　(6장)　(5장)　(4장)　(3장)
따라서 9층까지 늘어놓은 경우 5층에 놓인 사각형 모양의 종이는 7장이 됩니다.

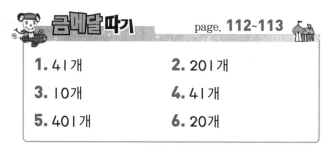

금메달따기　　　　page. 112-113

1. 41개　　　　**2.** 201개
3. 10개　　　　**4.** 41개
5. 401개　　　**6.** 20개

1. (필요한 성냥개비의 개수)
=(삼각형의 개수)×2+1입니다.
따라서 성냥개비가 20×2+1=41(개)
필요합니다.

2. (필요한 성냥개비의 개수)
=(삼각형의 개수)×2+1이므로
성냥개비는 100×2+1=201(개)
필요합니다.

3. 22=(10×2+1)+1이므로 삼각형을 10개까지 만들 수 있고 1개의 성냥개비가 남습니다.

4. (필요한 성냥개비의 개수)
=(오각형의 개수)×4+1입니다.
따라서 성냥개비가 10×4+1=41(개)
필요합니다.

5. (필요한 성냥개비의 개수)
=(오각형의 개수)×4+1이므로
성냥개비가 100×4+1=401(개) 필요합니다.

6. 83=(20×4+1)+2이므로 오각형을 20개까지 만들 수 있습니다.

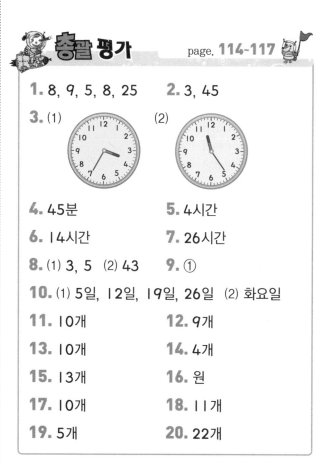

총괄평가　　　　page. 114-117

1. 8, 9, 5, 8, 25　　**2.** 3, 45

3. (1)　　　　(2)

4. 45분　　　　**5.** 4시간
6. 14시간　　　**7.** 26시간
8. (1) 3, 5　(2) 43　**9.** ①
10. (1) 5일, 12일, 19일, 26일　(2) 화요일
11. 10개　　　**12.** 9개
13. 10개　　　**14.** 4개
15. 13개　　　**16.** 원
17. 10개　　　**18.** 11개
19. 5개　　　**20.** 22개

1. 긴바늘이 숫자 5를 가리키면 25분을 나타냅니다.

7. 어제 오전 8시 —24시간→ 오늘 오전 8시
—2시간→ 오전 10시

8. (1) 26일＝7일＋7일＋7일＋5일＝3주일 5일
   (2) 3년 7개월
      ＝12개월＋12개월＋12개월＋7개월
      ＝43개월

9. 같은 요일은 7일마다 반복됩니다.
   2일－9일－16일－23일－30일

10. (2) 3월 31일이 일요일이므로 4월 1일은 월요
   일입니다. 따라서 4월 9일은 화요일입니다.

11. 사각형 1개짜리 : 4개
   사각형 2개짜리 : 3개
   사각형 3개짜리 : 2개
   사각형 4개짜리 : 1개
   ➡ 4＋3＋2＋1＝10(개)

12. 사각형 1개짜리 : 4개
   사각형 2개짜리 : 4개
   사각형 4개짜리 : 1개
   ➡ 4＋4＋1＝9(개)

13. 4＋3＋2＋1＝10(개)

14. 사각형 1개짜리 : 1개
   사각형 2개짜리 : 2개
   사각형 3개짜리 : 1개
   ➡ 1＋2＋1＝4(개)

15. 삼각형 1개짜리 : 1＋3＋5＝9(개)
   삼각형 4개짜리 : 1＋2＝3(개)
   삼각형 9개짜리 : 1(개)
   ➡ 9＋3＋1＝13(개)

16. △□○○ 모양이 반복되는 규칙입니다.

17. ●가 2개씩 늘어나는 규칙입니다.

18. 'ㄴ' 모양으로 위와 오른쪽으로 ◯가 각각 1개
   씩 늘어나는 규칙입니다.

19. 3＋2＋2＋2＋2＝11이므로 삼각형을 5개까
   지 만들 수 있습니다.

20. 7＋5＋5＋5＝22(개)

쉬어가기   page. 119

□ : 사각형, △ : 삼각형 ◯ : 원,
⬠ : 오각형, ⬡ : 육각형

2 학년이 꼭 ✓ 알아야 한

도형

정답과 풀이